La salud,
tu mejor talento

La salud,
tu mejor talento
El camino hacia una vida saludable

Dra. Lourdes Tomás

Plataforma
Editorial

Primera edición en esta colección: septiembre de 2016

© Lourdes Tomás, 2016
© de la presente edición: Plataforma Editorial, 2016

Plataforma Editorial
c/ Muntaner, 269, entlo. 1ª – 08021 Barcelona
Tel.: (+34) 93 494 79 99 – Fax: (+34) 93 419 23 14
www.plataformaeditorial.com
info@plataformaeditorial.com

Depósito legal: B. 17.921-2016
ISBN: 978-84-16820-24-5
IBIC: VS

Printed in Spain – Impreso en España

Diseño de cubierta y fotocomposición:
Grafime

El papel que se ha utilizado para imprimir este libro proviene
de explotaciones forestales controladas, donde se respetan
los valores ecológicos, sociales y el desarrollo sostenible del bosque.

Impresión:
Liberdúplex
Sant Llorenç d'Hortons (Barcelona)

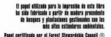

A mis padres, gracias
por vuestra incondicionalidad y ayuda siempre.

A aquel que camina a mi lado y me observa paciente
cuando vuelo, mi más profunda admiración
y respeto por lo que veo en tus ojos.

A mis tres estrellas, afortunada
soy por la alegría, la vida
y las continuas enseñanzas que me regaláis.

Mi más sincero agradecimiento a todos
los que habéis hecho posible
que estas palabras y vivencias salgan hoy a la luz.

Índice |

Introducción

Mi querido lector:

En la intimidad de este pequeño espacio que existe entre mis palabras escritas y tu mirada, quiero compartir contigo la sensación que está surgiendo en mi interior al sentarme, por primera vez, frente a todas estas hojas en blanco.

Una sensación de mariposas en la tripa me inunda de la cabeza a los pies. Una sensación presente en todo aquel que, siguiendo un fuerte impulso interior, lo que se llama la «picadura del alma», vence sus miedos y limitaciones e inicia un camino de vida que sabe que lo llevará a lugares lejanos y desconocidos, donde vivirá experiencias muy diferentes a las que hasta ahora conocía. Seguro que sabes de lo que estoy hablando.

Y es que es aquí y ahora, después de muchos años acompañando a personas en la intimidad de la consulta, en conferencias y en talleres, cuando he decidido asumir el reto de acompañarte en tu particular camino hacia la salud sin tener muy definida tu cara, tu complexión física, tus miedos, tus virtudes y tus sueños, tus problemas de salud o tu situación familiar o profesional. Y puedo hacerlo ahora, porque el es-

tudio del ser humano y mi experiencia de vida me han ense-
ñado que no existen grandes diferencias entre todos nosotros
en ese primer nivel tan íntimo y profundo del ser humano
que es la salud, bajo mi modo de entenderla. No se puede
entender la Salud en mayúsculas si no se comprende al ser
humano primero.

Creo que no podemos negar que todos los seres humanos
tenemos necesidades vitales biológicas, psicológicas, sociales y existenciales y que, aunque estemos en muchos casos
muy desconectados de ellas, la realidad es que están ahí,
dentro de nosotros, esperando a ser descubiertas y cubiertas
con conciencia para que ese ser humano pueda alcanzar un
estado de salud superior. Y eso es para mí la salud, no solo
la ausencia de enfermedad, sino la conquista activa de un
estado de bienestar superior a través del conocimiento verdadero de uno mismo y de la autorrealización de cada una
de las esferas que nos configuran como seres humanos. Este
proceso de conquista de uno mismo es altamente sanador,
ya que nos empodera y nos hace libres.

Y bajo esta mirada de la salud, me surgen dudas sobre el
sistema sanitario actual al que pertenezco. ¿Cómo podría
enriquecerse con nuevos modos de hacer? ¿Qué sucedería si
tuviésemos el tiempo, la formación y la capacidad para trabajar como equipos multidisciplinares con el fin de acompañar a la persona a sanar realmente su proceso, en lugar de
centrarnos en darle simplemente una medicación y, tal vez,
clasificarla ya como una enferma crónica? ¿Cómo podríamos
hacer para que las personas que están sanas contribuyan de

forma activa a seguir estándolo? ¿Y si formamos a las personas para que se conviertan en sus propias gestoras y promotoras de salud en el día a día? ¿Qué sucedería si acompañáramos a las personas en estados de salud intermedios, con pequeñas disfunciones y síntomas menores, a reconducir su estado, caminando hacia la salud? ¿Y si centramos esfuerzos especialmente en promocionar la salud a través del autoconocimiento de lo físico y de lo sutil en cada uno de nosotros?

Como mi lema de vida es «Haz en ti el cambio que deseas en el mundo», y con la intención de dar respuesta a estas y a otras preguntas, aposté por enriquecer mi hacer médico con otras disciplinas que me acercasen más a la naturaleza holística del ser humano y a sus procesos de salud y de enfermar.

Enseñar, sanar y ayudar se convirtieron en mi manera de hacer, y a día de hoy, una parte importante de mi dedicación profesional va dirigida a enseñar a las personas a ser sus propias gestoras y promotoras de su salud, mostrándoles todas aquellas fuerzas generadoras de salud que, de forma innata, están presentes en cada uno de nosotros.

Algunas de ellas las vamos a ir descubriendo a lo largo de estas páginas: el respeto a los ritmos biológicos del cuerpo, la conexión con la naturaleza, la fuerza sanadora de la alimentación consciente, el poder recuperador de un sueño de calidad, el arte de saber relajarse o la práctica óptima del ejercicio físico.

¡Construyamos entre todos un nuevo modelo basado en la promoción de la salud y en la prevención de la enfermedad!

Si me lo permites, quisiera empezar este programa integral, «Caminando hacia la salud: de lo biológico a lo sutil», abordando la promoción de aquello que es más fácil de manejar en nosotros: lo que vemos, nuestro cuerpo físico. Así que, si estás preparado, sumérgete y prende en ti todas aquellas herramientas que te ayudarán a potenciar, desde tu cuerpo biológico, un estado de salud integral superior. Es el primer paso del camino.

Deseo que cada una de mis palabras te llegue como si hubiesen sido escritas solo para ti, porque así ha sido.

¿Comenzamos?

El cambio de mirada

1.
El gran cambio

Soy una persona con muchas inquietudes. Siempre me han surgido preguntas de difícil respuesta: ¿Quiénes somos? ¿Quién es el ser humano? ¿Qué hemos venido a hacer a este mundo?

De pequeña, con cinco añitos, ya sabía que de mayor quería ser médico, viajar por el mundo y dedicarme a transformar la sociedad a través de la medicina. Mis juegos y mis sueños giraban en torno a ser médico y a construir una casa-hospital donde se diera cobijo a los más necesitados, niños y adultos, ricos y pobres. Después de leer el libro *La ciudad de la alegría*, de Dominique Lapierre, supe que algún día ese, Calcuta, sería mi primer destino. Siempre he tenido claro que quiero irme de aquí dejando algo de mí, haciendo del mundo un lugar mejor para vivir. Al principio soñaba con ser ginecóloga; acompañar a una madre en el camino consciente de gestar un cuerpo para su bebé y estar presente en ese instante en el que la vida entra a través del nacimiento me parecía un privilegio.

A veces, con mi mente de niña, también se me pasaba por la cabeza ser directora de un hotel o azafata internacional, para viajar y saber muchos idiomas. Con el tiempo he comprendido que aquellas ideas tan dispares, en el fondo, hablaban de lo mismo: hoy ejerzo como directora de la empresa social Médico Mentor y he tenido que aprender a hablar muchos lenguajes e idiomas que me ayudan a comprender el cuerpo, la mente o el espíritu del ser humano.

Mi formación médica fue conscientemente elegida. Estudié Medicina en la Universidad de Navarra, donde me doctoré en enfermedades cardiovasculares años más tarde. Hubo momentos de crisis en los que me planteé si realmente era médico lo que yo quería ser, ya que me faltaba algo en la formación médica tradicional. Me presenté a la oposición del MIR (médico interno residente) para ser ginecóloga, pero suspendí. Me costó dos años, dos intentos y dos renuncias a una plaza de médico de familia comprender que la vida tenía otros planes para mí. Poco tiempo después entendí que para mi proyecto de vida, así debía ser; necesitaba esa visión global del ser humano en todas las etapas de su vida, desde su nacimiento hasta su muerte, trataría y acompañaría a niños y a adultos, a ancianos y a jóvenes, a madres y a padres, en su camino hacia la salud.

Así que, haciendo caso a las señales de vida, empecé mi formación como residente en medicina de familia en un centro de salud en Pamplona, en el barrio donde viví toda mi formación universitaria.

Con ese sentir inconformista que me caracteriza, busqué maneras y ayudas que me saciaran en algunos aspectos de mi formación como médico de familia. Cumplí con la formación obligatoria, pero no comprendía que una médico de familia no tuviese rotaciones por nutrición, por cuidados paliativos o que no tuviese más guardias de ginecología o de pediatría, por ejemplo. ¿Quién me decía que no me tocaría asistir un parto en un pueblo recóndito de montaña una noche de guardia? ¿Y cómo iba a educar en salud a mis pacientes si no tenía un saber en alimentación óptima? ¿O cómo iba a poder acompañar como «médico de cabecera» a mis pacientes en sus fases finales de vida si no lo vivenciaba antes?

Quería estar preparada. Médicos adjuntos y algún residente de último año me ayudaron a formarme en todas estas inquietudes. Fueron personas muy generosas conmigo y les estoy profundamente agradecida. Tengo recuerdos muy entrañables de esos tres años como residente de familia. Allí llegaron mis primeras experiencias con la vida y con la muerte, y un montón de preguntas que necesitaba responder. Acompañando a pacientes o a amigos en sus últimos momentos de vida, he ido aprendiendo que después de momentos de miedo y negación, llega la rendición, y en el mismo instante en que la vida se marcha, se crea un vacío y un silencio muy particular. No sé si has tenido la experiencia de estar acompañando a algún familiar o amigo en esos momentos finales, pero estoy segura de que alguna vez has podido asistir a un parto, dar a luz a un bebé o simplemente visitarlo cuando acababa de nacer. ¡Ahí también puedes comprender de lo que hablo! En este otro momento, no es la ausencia de vida o el vacío lo que hay, sino todo lo contrario: la vida en estado pleno y puro entra a raudales e invade la habitación.

Estas vivencias en momentos extremos de vida me mostraron una visión integral del ser humano que marcaría otro camino nuevo hacia la comprensión de la salud y de la enfermedad.

Comenzó ahí un particular camino de búsqueda interior que continúa a día de hoy para poder ser médico de cuerpos y de almas, ya que aquellas experiencias me confirmaron lo que ya intuía: somos mucho más que este cuerpo físico visible.

Acabé mi especialidad de médico de familia con veintinueve años y con la certeza de que mi formación no había hecho más que empezar. Necesitaba encontrar respuestas a aquello que no podemos ver del ser humano. Llegó el momento de cumplir mi sueño de niña. Llené una mochila y me fui a Calcuta. Allí contacté con las Misioneras de la Caridad; no tuve la suerte de conocer a la madre Teresa, pero su esencia estaba presente en cada *sister*, en cada pared de Shishu Bavan, de Prendam o del dispensario de la estación de Howra.

Ese viaje me hizo crecer como médico y como ser humano, colmó mi sed espiritual y mi vocación de servicio enseñándome dos reglas básicas: la humildad por seguir siempre aprendiendo y el poder del amor como el sustento vital de la salud.

Los primeros días en aquella locura de ciudad me dediqué a sobrevivir, era incapaz de asimilar todo lo que mis sentidos captaban las veinticuatro horas del día. Fui testigo de situaciones tan duras que no pude apenas ni comer ni dormir durante la primera semana. Ver aquella realidad me rompió por dentro: «Esto no puede estar ocurriendo a unas horas de avión de mi casa, de mi mundo». ¡Siete millones de personas viviendo en la calle! Grupos de niños abandonados o huérfanos que se cuidaban entre ellos, gente muriendo sola en una acera, personas con deformidades físicas severísimas sin ningún tipo de ayuda social, «intocables» que no podían ni subirse al autobús o comprar en las tiendas de la calle, calles llenas de basura, piel negra de la contaminación, ruido y más ruido, niños, perros sarnosos y cuervos peleándose por un trozo de fruta oxidada, y un tráfico digno de las típicas películas norteamericanas de persecuciones... Todo eso, y muchísimo más, a unas horas de nuestras vidas.

Unas voluntarias me invitaron a ir con ellas unos días a Darjeeling, una ciudad situada en el estado de Bengala, ¡y no lo dudé! Poco después supe que era el mismo viaje que había emprendido la madre Teresa en un momento de crisis y donde tuvo su gran visión. Aquel viaje también a mí me abrió los ojos: estamos en esta vida para vivirla y experimentarnos en situaciones que suponen verdaderos retos para nosotros; eso es lo que nos hace enriquecernos e iluminar partes internas de nosotros que pensábamos que no existían.

Así que, a mi vuelta de Darjeeling, me zambullí en la ciudad y en el trabajo con las *sisters*, segura de que había cientos de aprendizajes en aquellas calles y en sus gentes. En pocos días, aquella ciudad y sus habitantes me robaron el corazón para siempre. Eran tantas las lecciones de vida que recibía cada día que no daba abasto para asimilarlas y, a día de hoy, doce años después, sigo bebiendo de aquellas experiencias.

Descubrí el placer de lavar la ropa a mano y tenderla en la azotea junto a otras mujeres con las que, a veces, el único lenguaje posible eran la sonrisa y la mirada; viví la generosidad de los más pequeños, que te reservaban una banana que les habían dado el día antes para merendar, o su inocencia al guardarse en sus bolsillos un helado «para más tarde». Fui consciente de la inmensa fortuna que tenemos al disponer de una sanidad pública (y he de decir que me enfadé al ser consciente del mal uso y el abuso que se le da muchas veces por parte de profesionales y pacientes). Aprendí la cara más humana de la medicina gracias a los pacientes que acudían al dispensario de la estación y, sobre todo, no teniendo nada, aprendí a confiar en la vida y a saborear con ilusión las pequeñas cosas que ocurrían en cada momento.

Recuerdo que una tarde, un hombre anciano llegó al dispensario con unas úlceras espantosas en sus piernas y algo se movía en ellas. Sus heridas estaban llenas de larvas y de pequeños gusanos. «¿Cómo es posible que alguien pueda llegar a este estado? ¿Quién se ocupa de él?». Le hice las curas gracias a las explicaciones de Marina, una enfermera italiana con mucha experiencia a sus espaldas. Me quedé abrumada del grado de abandono que sufría ese hombre.

Otro paciente habitual era un chico joven con una de las sonrisas más hermosas que he visto jamás. Un coche lo había atropellado y al ser un «intocable», por supuesto, el coche ni siquiera paró. Aquello había pasado hacía más de seis meses y seguía teniendo la parte posterior de sus muslos en «carne viva»; su desnutrición hacía que aquello cerrara muy lentamente. El chico siempre sonreía. Un día le pedí a Peter, el ayudante nativo de las *sisters*, que me ayudara con las traducciones al bengalí porque no nos entendíamos en inglés. Le pregunté por qué sonreía siempre: me sorprendía que no le doliesen las curas. Su respuesta fue:

—Sonrío porque cuando vengo aquí, me tocan, siento que me cuidan y que alguien se ocupa de mí, y por eso estoy agradecido —me respondió sin perder la sonrisa de su gesto. Aquellas palabras me dieron material para pensar unos cuantos días.

Un día, llegó al dispensario una mujer muy agobiada. Creía que su hija podía tener lepra y su familia quería «echarla a la calle». Pocos días después llegó al dispensario una niña preciosa, de unos nueve o diez años. Al verla, le di la bienvenida y empecé a explorar sus lesiones en la cara y en sus brazos. Su madre lloraba emocionada; me giré hacia la ventana y vi a toda su familia, que miraba atentamente a través de los barrotes de las ventanas. En ese intercambio de miradas comprendieron que solo era una enfermedad y que tenía cura. Empezó el tratamiento de inmediato.

Estas experiencias y otras muchas me marcaron especialmente y, sin ser muy consciente por aquel entonces, se asentaron en mi interior las bases de la nueva medicina que mi alma anhelaba alcanzar: ayudar, sanar y formar al ser humano. Un tiempo después saldría a la luz.

Aquellos meses en Calcuta me enseñaron a comunicarme desde el silencio de las miradas, de las sonrisas cómplices, del tacto y de la ternura, y de un estado de presencia permanente.

Faltaban pocos días para Navidad y para mi regreso a España cuando en una de nuestras conversaciones con la *sister* Karina, la coordinadora de voluntarios, esta me dijo: «Lourdes, tú no has venido para quedarte aquí. Hay mucha gente que viene a Calcuta y monta proyectos de ayuda, pero este no es tu camino: tú tienes que ser médico allí. La madre Teresa, cuando regresaba de Occidente, siempre decía: "¡Qué mal están allí, han perdido el norte, ya no saben cuáles son las cosas que realmente son importantes en la vida. Sufren de vidas vacías de sentido, de soledad, de desamor!"». Aquella conversación puso mi vida, de nuevo, patas arriba; en aquel momento no entendí el valor visionario de sus palabras y seguí con mi hacer.

Volví a Barcelona, empecé el Máster en Medicina Tropical de la UAB y me puse a trabajar en un centro de salud para poder financiarme el siguiente viaje, pero la vida de nuevo tenía otros planes para mí.

Fueron llegando personas nuevas a mi vida, nuevos espacios, libros interesantes, el reencuentro con mi antigua escuela de yoga, un maestro de meditación y algún que otro máster que me fueron guiando en un nuevo viaje, esta vez, hacia el interior de mí misma. El *hatha* yoga, la meditación, la sofrología o el eneagrama me dieron herramientas para profundizar en el ser humano. Todos esos aprendizajes prendieron en mí. Sentía que cada vez estaba más cerca de una comprensión global del ser humano, aunque en esos momentos aún me faltaba la pieza que unía la medicina tradicional con el saber y la vivencia de otras terapias que cuidaban los mundos más sutiles de la persona. Mi inquietud seguía siendo poder encontrar aquel puente, desde la mirada del médico, capaz de unir lo físico y lo sutil, lo material y lo existencial de cada uno de nosotros. Mi búsqueda continuaba.

Por aquel entonces, la situación laboral en el centro de salud de Barcelona en el que yo trabajaba se fue complicando, igual que en otros muchos. Dos minutos por paciente, setenta pacientes en una tarde, sin tiempo suficiente para poder ir a los domicilios. Eran condiciones que me dificultaban ejercer la medicina en la que yo creía. ¡Una compañera, cansada y estresada, llegó a retirar las sillas de los pacientes para que no se entretuviesen charlando, y así poder salir a su hora! Aquello, otras «anécdotas» y mi ansiedad creciente me pusieron en alerta: «Mi vocación es ser médico y me siento privilegiada por tener esta profesión. Entonces, ¿por qué me ahogo?».

Enseguida pude elaborar la respuesta: en aquel entorno tan hostil y gestionado por personas que no están en el día a día de una consulta se me hacía muy complicado ser coherente con mis principios.

Me fui al darme cuenta de que mi manera de ver la medicina y al paciente, de que mis objetivos de trabajo y prioridades no encajaban con los de la «empresa», así que dejé mi interinidad y aposté por salir a buscar mi lugar en el mundo de la medicina; anhelaba encontrar un espacio donde poder ejercer aquella medicina en la que creía, con tiempo, recursos y dedicación.

No tardó en abrirse una nueva puerta, esta vez en la sanidad privada. Era un proyecto realmente interesante; se estaba desarrollando una unidad de medicina funcional y psicosomática para la prevención y la gestión del estrés. Trabajaban abordando al ser humano desde una visión holística con un equipo de médicos, psicólogos, profesores de meditación, sofrólogos, etcétera.

Los dos médicos pioneros en este proyecto me descubrieron y adentraron en la medicina evolutiva y en la psiconeuroinmunoendocrinología clínica. ¡Guau! Por fin había encontrado la pieza que me faltaba para unir la biología y la psicología del ser humano, lo físico y lo sutil.

Fue un tiempo realmente muy interesante y de gran impacto y crecimiento para mi carrera profesional, pero en mi interior sentía que estaba de paso; aquel tampoco era mi lugar; había una parte social y de formación que no podía desarrollar.

La llegada de mi primera hija hizo que me preguntara de nuevo: «¿Qué quiero dejar de mí misma en este mundo?». Y un tiempo después, sentí que había llegado el momento: debía dejar de buscar mi lugar y empezar a crearlo.

Empecé a plasmar en palabras y en dibujos el proyecto que en mi cabeza veía claramente desde hacía años: la creación de centros de salud que acompañasen a las personas en la conquista de una salud consciente, desde su nacimiento hasta su muerte, bajo una visión humana e integrativa del ser humano.

Un mes de mayo abrí mi consulta como médico de familia bajo esta visión de la medicina, la primera semilla del proyecto.

He de decirte que aprendí tanto en ese tiempo de trabajo, mano a mano con mis pacientes, que decidí empezar a compartir todo aquello que descubríamos juntos con el resto del mundo. Así que, después de un tiempo, empecé a gestar y a dar a luz programas de formación en salud a las personas.

Y poco a poco se fue creando y construyendo el programa «Caminando hacia la salud: desde lo biológico a lo sutil», con sus diferentes talleres: «La gestión del estrés», «Presencia, dirección y comunicación», «La nutrición como medicina», «El arte de relajarse»... Al tratarse de un camino de vida, todavía sigue abierto y se van incorporando sesiones nuevas que van dando forma al camino.

Cuando empecé a presentar este programa, hace ya unos diez años, los servicios de prevención de riesgos laborales, de recursos humanos o de formación de las empresas me miraban con extrañeza; todavía no existía el concepto de considerar la salud como un nuevo talento que desarrollar en sus trabajadores. Algunos fueron valientes y apostaron por estas iniciativas entonces, y les estoy profundamente agradecida por ello.

Así que, en ese tiempo, poco antes del nacimiento de mi segundo hijo, planté la segunda semilla de mi proyecto, y con ella, Médico Mentor empezó a coger cuerpo y fuerza. Sanar y enseñar estaban ya en marcha. Tan solo me quedaba desarrollar el área social de este proyecto.

2.
De médico de familia
a médico mentor

«La salud no es solo la ausencia de afecciones o de enfermedades, sino que es la conquista de un estado completo de bienestar físico, mental y social». Esta es la definición de salud que redactó la Organización Mundial de la Salud (OMS) en 1948 y desde entonces apenas se ha modificado.

Luego, ¡mi sentir estaba en lo cierto! Analizando la definición oficial de la OMS encontramos las claves que definen el nuevo paradigma médico del que te hablo. Bajo mi punto de vista, faltaría contemplar en la definición el bienestar existencial, pero centrémonos en la versión oficial. Lo verdaderamente destacable es que la Medicina, con mayúsculas, no solo implica el trabajo hacia la no enfermedad, sino que es labor de los médicos y de otros profesionales de la salud acompañar a las personas en esa conquista de un estado de bienestar superior, dentro y fuera de sí mismas. ¡¿Cuándo hemos olvidado la segunda parte de la definición?!

En la medicina actual, hemos invertido el mayor esfuerzo en el diagnóstico y en el tratamiento de la enfermedad. La tecnología y los avances en este punto del camino son importantes, pero ¿qué ocurre con las etapas previas de la enfermedad? ¿Cuánta energía y dedicación invertimos en la educación y en la prevención de la enfermedad? Y si vamos un paso por delante todavía, ¿invertimos en la promoción de la salud? ¿Formamos a las personas para que continúen estando sanas? Tal como está el panorama sanitario y social actual, creo que invertir en programas y en actuaciones dirigidas a la prevención y, especialmente, a la promoción puede ser una estrategia clave de supervivencia. ¿Hacia dónde nos lleva una medicina tecnológica?

Hemos de dejar de considerar la salud como un objetivo de vida y te invito a empezar a verla como un medio de vida, como el gran recurso del que dispone el ser humano para vivir la vida diaria de una forma plena. ¡¿Cómo no invertir en semejante recurso!?

Una nueva mirada, una nueva actitud

Y en este punto aparece uno de los cambios más importantes en este nuevo «ejercer la medicina»: la **actitud** que tenemos todos frente a la salud.

Por un lado, aquellos médicos que compartan esta visión han de conquistar su propia salud para convertirse en un asesor, formador y mentor en salud para otros, además de desarrollar su labor diagnóstica y terapéutica habitual. Parece lógico, ¿verdad?

Por otro lado, ha de renacer una nueva actitud en la persona-paciente: ha de empoderarse y sentir que él es el sujeto activo y el verdadero promotor de su salud en cada minuto de su vida. Solo él llevará a cabo esta «conquista» en su foro interno.

Siento que este cambio de actitud puede ser uno de los caminos para sanar a la sociedad actual.

No hay sistema sanitario ni personas capaces de soportar una sociedad enferma en su mayoría, con envejecimientos prematuros y una alta incidencia en enfermedades crónicas.

La clave para revertir todo esto, bajo mi sentido común, es el trabajo directo para empoderar a las personas en la promoción de la salud y en la prevención primaria para mantenerlas sanas.

¿Y qué podemos hacer para mejorar la salud cuando la enfermedad ya está presente?

Hoy en día, existe una tendencia general a «tapar los síntomas» bajo prescripción medicamentosa, sin buscar muchas más alternativas. Yo estoy a favor de dar un tratamiento médico cuando es necesario, ¡por supuesto!, pero no podemos quedarnos solo ahí en la mayoría de los casos. ¿Qué pasaría si observásemos al síntoma desde otra perspectiva?

Cuando visito a mis pacientes, a veces, les explico que «su síntoma» es como una cometa que vemos volar en la playa. Pues bien, señores, ¡la cometa no vuela sola, hay alguien detrás sustentándola! Juntos podemos hacer el camino, seguir ese hilo para llegar hasta donde está aquel que hace volar la cometa; solo si llegamos al origen seremos capaces de gestionar «el vuelo de la cometa». ¡Recuperemos el arte de investigar juntos!

El médico y el paciente han de recuperar ese arte de indagar y buscar el origen de ese síntoma. Sé que el tiempo en las consultas es mínimo, pero ¿qué ocurriría si se dedicase más tiempo al paciente con este nuevo enfoque? ¿Se reduciría el número de consultas? ¿Disminuiría el gasto en medicamentos? Mi experiencia «piloto» en mi consulta me ha demostrado que sí.

La experiencia personal me ha mostrado que una de las claves de la curación pasa por ir al origen biológico, psicológico, social o existencial del conflicto, reconociendo la «voz del síntoma» como un lenguaje que usa nuestro cuerpo-mente para comunicar un desajuste, un desequilibrio, una disfunción en cualquiera de las esferas del ser humano.

Hoy en día, es habitual el estudio del cuerpo humano ante un síntoma con analíticas, pruebas de imagen, tecnología punta que disecciona nuestro cuerpo físico, y, ¡sí!, a veces encontramos signos físicos de enfermedad y es necesario tratarlos, pero, por mi experiencia, eso no es sinónimo de que el origen de ese enfermar esté ahí. Nos olvidamos muchas veces de que en cada uno de nosotros se aúnan el mundo físico y el mundo sutil y que el cuerpo, la mente y la emoción forman una unidad integrada. Igual que el cirujano explora todo el abdomen después de quitar un tumor, el médico ha de explorar todos los campos del ser humano cuando uno de ellos muestra una enfermedad si quiere curar y prevenir recaídas.

Por ello, si queremos establecer un buen diagnóstico y una buena terapia, hemos de hacer una exploración de campo en lo físico, lo mental, lo emocional, lo social y lo existencial de la persona.

La transformación del médico de familia al médico mentor

Así que, releyendo con conciencia una y otra vez la definición de salud de la OMS, cambié el rumbo de mi hacer médico y empecé a sumar a mi labor asistencial, mi labor de formación en salud a las personas «de a pie», y ahí empezó una transición natural y amorosa del médico de familia tradicional a médico mentor.

¿Y cómo definiría al médico mentor?

En mi visión, la labor de un médico mentor es aunar de nuevo lo que se ha fragmentado por el camino. Aunar los avances y los conocimientos científicos actuales con el arte, el saber y el hacer de los antiguos médicos, aunar de nuevo al ser humano como un todo en sí mismo y como un todo con la naturaleza en la que vivimos, unir en comprensión lo biológico con lo sutil de la persona, aunar la medicina tradicional con otras medicinas antiguas muy valiosas, aunar el arte y la ciencia como herramientas de curación, aunar, aunar y aunar...

La tarea del médico mentor se apoya sobre tres pilares.

El primero es enseñar. Un médico ha de ser maestro en salud y, por ello, antes ha de aprender y autoconocerse, desarrollar esta salud integral en sí. Luego ese conocimiento vivenciado debe ser difundido. Lo que yo sé te lo entrego para que tú también sepas hacer cosas contigo mismo, y para que tú, del mismo modo, puedas enriquecer a tu entorno. Y así, entre todos, podamos transformarnos en una sociedad más sana, más consciente y más plena.

El segundo pilar es sanar. Ante un síntoma es importante iniciar un camino de búsqueda y de acompañamiento hacia la comprensión de uno mismo para poder modificar patrones de vida que nos enferman en las esferas físicas, psicológicas, sociales o existenciales de la persona, con el fin de transformar, sanar o curar realmente.

Y el tercer pilar es ayudar. Un médico tiene la labor de trabajar mano a mano con las personas, pero también tiene una función importante en la salud comunitaria y en el medio natural que habitamos, y ahí es donde el médico mentor desarrolla esa actitud de ayuda o de servicio, desde acciones que colaboran en disolver injusticias o desórdenes sociales que afectan a la salud del individuo como a situaciones similares que restan salud al entorno natural en el que habitamos. Aquí, su acción puede ser desde la coherencia en su hacer (cuidar la naturaleza, consumo consciente…) a colaborar en proyectos sociales que aporten igualdad de oportunidades a los diferentes colectivos en situaciones conflictivas o que hagan de la Tierra un entorno más saludable para vivir, por ejemplo.

Mi sueño es crear un centro de salud donde las personas, además de ser atendidas, recuperen la conexión con su potencial interno generador de SALUD; lugares que reúnan a aquellos profesionales médicos que quieran aunar ciencia, conciencia, arte y tecnología para acompañar en el camino hacia la SALUD de los demás y de sí mismos; espacios donde juntos, unos y otros, creemos salud, bienestar y plenitud en la sociedad a través del camino de enseñar, sanar y ayudar.

3.
La medicina
de los hombres libres

Una mañana preciosa y soleada quedé en un hotel de Barcelona para conversar con Rayda. Un amigo había insistido en que debía conocer a su amiga filósofa, con quien al parecer compartía inquietudes comunes en el saber acerca de la salud en el ser humano. Estuvimos hablando y fue ella quien, aquel día, me habló de *Paideia*, una obra maestra de Werner Jaeger, sobre los ideales de la cultura griega, y me dijo: «Tú eres un médico de los hombres libres, ¿lo sabes?».

Y ante mi cara de asombro, continuó explicándome la siguiente historia:

En la antigua Grecia existían dos tipos de médicos: los médicos de los esclavos y los médicos de los hombres libres. Cuando un esclavo se hacía una herida, se rompía un hueso o le dolía alguna parte del cuerpo, el médico lo «trataba» en el momento, aplicándole un ungüento, cosiéndole la herida o preparándole una tisana de hierbas medicinales para calmar el dolor. El esclavo volvía a su trabajo de inmediato, sin tiempo que perder, para seguir produciendo beneficios a la sociedad.

Pero cuando un hombre libre, un filósofo o un sabio, acudía al médico con una dolencia, podía «tratarlo» a veces, pero el médico lo retiraba del mundo; lo enviaba a un lugar silencioso y tranquilo para que pudiera escuchar a su cuerpo, para que comprendiera qué le estaba ocurriendo. Dos o tres días después, lo hacía volver y esperaba a que el enfermo le expusiera sus conclusiones. Y juntos, los dos, se adentraban en la dolencia desde «ese otro lugar» para comprender realmente qué estaba ocurriendo en su cuerpo, escuchando la sabiduría del cuerpo.

Sus palabras fueron como una señal para mí.

La medicina de los hombres libres

El concepto de «la medicina de los hombres libres» plasmaba exactamente la visión de médico mentor. Mi interés en acompañar a las personas en el proceso de autoconocimiento y de autorrealización tiene como objetivo último la conquista de ese poder y de esa libertad interior que te da el vivir desde el no miedo, vivir cada vez más tiempo desde la propia presencia y no desde el personaje. Rayda, con su historia, dibujó e hizo resonar en mí aquello que yo quería hacer.

Hoy en día, no hay que ser muy ávido para darse cuenta de que el funcionamiento de la sociedad está basado en la cultura del miedo. No hay más que ver las noticias, hablar con el vecino o escuchar una conversación en una terraza. Pero yo también pienso que la sociedad la creamos cada uno de nosotros y todo lo que vemos fuera es un fiel reflejo de nuestras realidades internas. Esta óptica nos empodera, ya que la herramienta de cambio somos nosotros mismos, ¡sin duda!, y ¡podemos hacerlo!

Me explico. Todas las personas llegamos a esta vida con un gran cesto lleno de capacidades y recursos. Cada uno de nosotros lo traemos todo al nacer: el miedo y la valentía, el orgullo y la humildad, el egoísmo y el sano amor, el deber y el placer, el líder y el servidor, y un largo etcétera.

La primera desconexión de este potencial viene en los primeros años, en esa fase del niño del «no-yo-mío». Ahí nos damos cuenta y nos erguimos, por primera vez, en nuestra individualidad, y en ese preciso instante sentimos: «¡Guau, voy a comerme el mundo!». Y todo lo queremos hacer solos: «¡Yo, yo, yo, yo!». Pero al girar nuestra cabecita hacia atrás: «¡Glups, estoy solo en esto!». Y ahí aparece el miedo, el miedo a estar solo, a no ser querido o al abandono. Es un proceso totalmente inconsciente, pero que se da en todos nosotros.

A partir de ahí buscamos estrategias para ser queridos, respetados o elegidos por los demás, maquillando nuestra manera de ser y dejando ver tan solo aquello que nos hace ser mirados por los demás, siendo el hijo «a favor de la norma», el hijo «en contra de la norma» o el hijo «independiente». En función de si somos hijos únicos o adaptándonos a lo que nuestros hermanos hayan elegido, todos nosotros tomamos alguna de estas salidas. ¿Eres capaz de identificar cuál fue tu salida en la infancia? En mis trabajos grupales resulta curioso observar en familias de varios hermanos este patrón que te cuento.

Esta dinámica interna nos va alejando de nuestra esencia primera de «ser un todo» y creamos un personaje para el mundo. El personaje «del buen samaritano», «del buen trabajador», «de la entregada a los demás», «del exitoso», «de la perfecta», «de la más sensible», «de la que no necesita nada ni a nadie», «del que la vida está para vivirla y no para sufrir», etcétera. En todos ellos, sea cuál sea, el personaje empieza a gobernar nuestras vidas.

La relación con uno mismo y con los demás se basa en el miedo –inseguridad, falta de autoestima, desconfianza– y eso provoca que salga a relacionarme con el mundo desde este personaje, que hará lo que el entorno exija para ser querido, aceptado o mirado. Cuanto más nos alejamos de nosotros mismos, más inseguridad interna tenemos y más miedo estará presente en nuestro interior, y «más bueno soy para que me quieran», «más exitoso soy para que me miren», «más alegre soy para que quieran estar conmigo», etcétera. Nos anclamos al personaje… y ahí se cierra este círculo vicioso: miedo-personaje-olvido de uno mismo-miedo, y nuestra esencia de «ser un todo» queda fuera de la ecuación. Vivimos desde la periferia de nosotros, con una sensación de vacío que no se llena con nada.

El gran problema de esta dinámica interna es el no ser consciente de la falta de libertad para vivir.

Pongamos un ejemplo: ¿qué objetivo inconsciente mueve a una persona que desea conseguir el éxito profesional a costa de lo que sea? ¿Qué impulso interno le domina a querer un éxito, y otro, y otro? ¿Qué ocurre cuando esa persona «pierde su éxito»? ¿Entra en una crisis vital?: «Si no soy un "triunfador", ¿qué soy?».

Pongamos más ejemplos, a ver si nos suenan más. La típica persona que está ayudando y ocupándose continuamente de los demás no sabe medir sus fuerzas y siempre dice «sí». ¿La mueve un auténtico servicio a los demás? ¿Qué suele ocurrir cuando te «ayuda», lo quieras o no, y en ese instante rechazas su ayuda? Un día le dices: «No necesito que me llames todos los días para saber cómo estoy, gracias» o: «No necesito que me prepares más comida; yo te lo pido si necesito», o: «No quiero que ordenes mis armarios si no te lo pido». ¿Cuál suele ser su respuesta? «Con todo lo que yo hago por ti, ¡eres un desagradecido!» o: «Tú sabrás lo que haces, pero yo te conozco mejor que tú; ya vendrás, ya».

¿Por qué hay personas que están obsesionadas con el trabajo y lo anteponen a cualquier cosa? ¿Qué pasión las domina, ahí dentro, para tener la necesidad de sentirse útiles constantemente y se sienten mal si se tumban en el sofá a «no hacer nada» o se sienten abrumadas en el tiempo libre de las vacaciones? ¿Qué emoción gobierna en aquel que cree que es «mejor estar solo que mal acompañado», como Jack Nicholson en la película *Mejor imposible*? ¿O qué le ocurre a aquel que precisa que los demás tomen decisiones por él mismo?

En todos los casos, el miedo inconsciente es la emoción que gobierna sus vidas. El miedo a no ser perfecto, a no ser exitoso, a no ser servicial y amoroso, a ser un inútil… Miedos con pequeños matices que en el fondo reflejan ese «miedo inicial al abandono, a estar solo», así que «hago lo que sea para obtener la mirada de los que me rodean».

Ese vivir desde el miedo a estar solo o al abandono nos lleva a tener una relación con el mundo dependiente, y en él nos sentiremos en un papel de víctima, «Pobre de mí…», colocando siempre a alguien en una posición de salvador y a otros en una postura de verdugo, según cuál sea el escenario y el momento. Por desgracia, la mayoría de las personas funcionan en estas dinámicas tan insanas y tan poco constructivas.

Veamos un pequeño ejemplo. Una amiga me llama día sí y día también contándome lo sensible que es, lo poco que la gente la comprende y lo mal que la trata su pareja, su compañera de trabajo, su jefe o su madre. Yo la escucho cada día, pero después de unos meses de escuchar siempre lo mismo, me pongo más seria, le digo que siempre es la misma historia y que ha de hacer algo para sanarla, le pido que solucione su historia, que se enfrente, que hable, ¡que actúe! Aquí, ella está cómoda en su posición de víctima; a mí me coloca como salvadora y luego está el tercero en discordia –jefe, amigo, pareja, vecino–, que en su estructura mental ocupa la posición de verdugo. ¿Qué ocurre cuando mis palabras la sacan de su posición de víctima?

Puede ocurrir que reaccione, pero lo más habitual es que cuelgue el teléfono y llame a otra amiga y le diga: «No vas a creerte cómo me ha hablado Fulanita, con lo mal que sabe que lo estoy pasando». Y ¡zas! Ella sigue siendo la víctima, busca otra salvadora y a mí me coloca en el papel de la «mala» de la película.

¿Cuántas mujeres de generaciones anteriores han proyectado su sentimiento de abandono en sus maridos, porque trabajaban horas y horas, y han colocado al hijo o hija mayor como salvador, ocupando la posición de marido sustitutorio? ¿Qué sucedía en esa tríada, cuando el hijo o la hija, ya adultos, traían a su pareja a casa? Habitualmente, la relación de suegra-hijo/a-nuera/yerno era muy tóxica: celos, luchas de poder, sentimientos de abandono, sentimientos de culpa… Relaciones muy insanas, ya que resultaba complicado que cada uno ocupara su lugar. Ese miedo al abandono, a no ser perfectos, a no merecer ser amados, nos hace entrar en dinámicas tan tóxicas como estas de las que te hablo.

¿Qué sucede cuando alguien acompaña a esa madre en esa crisis de vida y cuando los hijos se hacen mayores, aprende a ocuparse de sí misma y busca una línea de autorrealización volviendo al ámbito laboral, a sus estudios o a su proyecto vital? ¿Qué ocurre cuando se da ese cambio de rumbo? Que la historia cambia.

Cuando somos capaces de escucharnos en nuestro malestar y darnos respuesta a esa necesidad vital que surge, construimos relaciones sanas, independientes y liberadoras. Si no, nos pasamos el día proyectando nuestro malestar : «¡Uf! No soporto que sea tan desordenado» o «¡Jo, es que es tan egoísta! ¡Es que me pone de los nervios!». ¿Qué es lo que realmente no soporto? ¿Qué me irrita tanto o me pone de los nervios en verdad? Si hacemos un ejercicio de sinceridad, cuando una situación nos despierta una emoción tan incómoda como la rabia, los celos, la envidia o la ira y nos preguntamos al respecto, tal vez nos demos cuenta de que lo que no soporto realmente es el no permitirme ser desordenado, y resulta que me paso los días ordenando, ordenando y ordenando queriendo ser perfecto para los demás, y mantener ese personaje es agotador, o igual lo que me pone de los nervios es que yo no me permito ser egoísta alguna vez y me paso el día diciendo que sí a todo.

Por ello, el auténtico reto al llegar a la edad adulta es el despertar y tomar conciencia de esta manera automática e inconsciente de funcionar. Cuando nos sintamos «víctimas de una situación», preguntémonos: «¿Qué hago yo para que suceda esta circunstancia tan incómoda o conflictiva? ¿Qué puedo hacer diferente para que cambie?». ¡Y hagámoslo! Es en parte nuestra responsabilidad que esto esté ocurriendo.

Me viene a la cabeza el caso de una pareja que conocí en uno de los últimos talleres. Ella expuso que todos los martes y los jueves, cuando llegaban del trabajo y su pareja cogía la bolsa del gimnasio y se iba, y ella se quedaba en casa con los pequeños y con todo el trabajo que eso suponía, se «la llevaban los demonios y generalmente esos días terminaban en discusión de pareja».

Uno de los grandes problemas de la sociedad actual es que nos educan en lo intelectual desde pequeñitos, pero nadie se ocupa de educarnos en lo emocional. Si no sabemos qué sentimos, qué emoción surge en nosotros, ¿cómo vamos a saber qué necesidad no cubierta hay debajo? Me explico: si yo sé que estoy nerviosa, mi necesidad será relajarme; si yo sé que estoy triste, mi necesidad puede ser querer un abrazo o la calidez de una conversación.

Volviendo al ejemplo, pregunté a esta mujer sobre cuál era la emoción que se despertaba en ella cada martes y jueves. Ella respondió rápidamente: «Rabia, no soporto que sea tan egoísta, solo piensa en él».

Le dije si alguna vez había sido consciente de que ella necesitaba «ser egoísta». La sociedad actual nos inculca que ser egoísta es algo malo. Y fue automático, su cara se iluminó al comprender la necesidad no cubierta que expresaba su rabia. Se dio cuenta de que lo que le producía tanta rabia no era que su pareja hiciese deporte, sino que ella no se concediera un espacio para el cuidado de sí misma. En ese preciso momento, dejó de ser una víctima, su marido, un verdugo y la amiga a quien se quejaba constantemente, la salvadora. Tomó las riendas de su vida y negoció con su pareja un par de tardes libres para ir a clases de pintura, su pasión abandonada en los últimos años. Después de eso, el conflicto y la rabia se disolvieron.

Observemos aquello que proyectamos en los demás y escuchemos aquellas emociones tan incómodas de sentir, porque nos traen mucha información sobre lo que necesitamos para alcanzar cada día esa salud superior a la que aspiramos.

Sin ninguna duda, por mi experiencia, sé que en el camino hacia la Salud en mayúsculas hemos de pasar necesariamente por este proceso de reconquistar la libertad interior, de volver a vivir desde el no miedo y del sentir que todo es posible.

Observa tus relaciones, tus proyecciones, tus emociones y las necesidades que esconden todas ellas. Tomar conciencia de ello te hará ser un poco más libre cada día.

La figura del observador: pieza clave para caminar hacia la salud

Cuando llegan mis pacientes a la primera consulta, generalmente les hago mi dibujo del «carruaje». Un caballo refleja el cuerpo mental, otro caballo el cuerpo emocional y el carro en sí es el cuerpo físico. Les explico que en la mayoría de nosotros no hay conductor, estamos ausentes en ese carruaje, vamos por la vida como dormidos, anestesiados; por eso pedimos o exigimos a los demás que nos solucionen la vida y si no, les echamos la culpa de todo lo que nos ocurre.

Imagínate a una persona con ansiedad: su cuerpo/caballo emocional está totalmente desbocado, ¡el miedo lo inunda!, y ese caballo corre que te corre sin dirección ni sentido, solo quiere huir. El cuerpo/caballo mental no entiende nada, pero le sigue como puede, ¿y cómo terminará el carruaje o el cuerpo físico? ¡Eso es!: destrozado, arañado, roto. Si le damos a esa persona tan solo una medicación ansiolítica durante un tiempo, sin más intervención, ¿qué ocurre cuando un tiempo después se le retira la medicación por mejoría de los síntomas? Habitualmente vuelve la sensación de angustia en otra situación de estrés o de tensión.

La medicina de los hombres libres pasa por concienciar y permitir la presencia del «conductor» del carruaje. Solo él es capaz de observar internamente lo que está ocurriendo, sin miedo, sin juicios, objetivando la realidad.

En el caso de la persona con ansiedad, solo ese observador interno o «conductor» será capaz de calmar la emoción con unas buenas respiraciones, por ejemplo, o de concentrar su mente para que quede centrada y no le contamine el miedo. Será el que alimente bien el cuerpo para que tenga energía durante este bache y cuidará su descanso para que su sistema nervioso esté lo más calmado posible. Y solo el observador será capaz de empezar a comprender cuál es el origen de la angustia y podrá curarla.

Por ello, hacer cada vez más presente la figura del observador interno es el punto de partida de este «camino hacia la salud». Múltiples disciplinas nos pueden ayudar a darnos cuenta de su existencia dentro de cada uno de nosotros: el yoga, la meditación, la sofrología, el *mindfulness*, el taichí o la autoobservación en el día a día. Ser conscientes de su existencia nos hace fuertes y nos da esa seguridad interna, porque ya no estamos solos.

Ser consciente de mí mismo, de esa figura del observador interno, me da la seguridad de saberme acompañado, de saberme querido y cuidado. Ya no hay miedo a estar solo ni a sentirme abandonado. Es el inicio del camino de vuelta a casa, en el que profundizaremos en otro momento.

4.
Caminar hacia la salud

Si has llegado hasta aquí, entiendo que te resuenan mis palabras y que has tomado la decisión de caminar hacia una salud que trasciende el concepto de «no tener enfermedad». ¡Me alegro! No vas a arrepentirte.

¿Preparamos las maletas? ¿Qué equipaje vamos a llevarnos para emprender este camino tan hermoso que deseo que mejore tu vida para siempre?

El autoconocimiento de lo biológico y de lo sutil

El primer elemento que necesitamos interiorizar en este caminar es el conocimiento de nosotros mismos.

De la misma manera que cuando vamos a hacer un viaje nos informamos sobre trayectos, tiempos de desplazamientos, accesibilidad y demás, precisamos hacer lo mismo con nosotros mismos: conocernos. ¿Cómo voy a hacer un buen uso de mi cuerpo si no lo conozco, por ejemplo? ¿Qué uso voy a darles a mis emociones si muchas de ellas tienen un funcionamiento todavía muy inconsciente para mí y se adueñan de mi vida?

Es preciso iniciar un camino de conocimiento en las diferentes esferas que nos configuran como seres humanos, hasta donde tú quieras llegar. Hay personas que pueden no creer en la esfera espiritual o existencial del ser humano. Está bien; ocuparse de su cuerpo biológico y psicológico las hará llegar a un estado de salud superior. Recuerda que la libertad es la clave y el premio de hacer este camino hacia la salud.

En el conocimiento del ser humano existen muchas disciplinas que pueden ayudarnos, desde la cronobiología, la psiconeuroinmunoendocrinología, la fisiología, la nutrición o la medicina evolutiva para el autoconocimiento en nuestra esfera más biológica a la antroposofía, la sofrología o la meditación, en una esfera más psicoespiritual. Los caminos del conocimiento son muy amplios. Yo te hablaré de los que conozco.

Llegado este punto me parece muy interesante que tú te formules las siguientes preguntas: ¿qué es para ti el ser humano? ¿Qué partes lo forman? ¿Qué necesidades tenemos como seres humanos?

Yo puedo hablarte de mi observación y creencia particular. Para mí, el ser humano es la unión de un cuerpo visible y de otros que no lo son. Cuerpo físico, biológico, social y existencial son, bajo mi punto de vista, la configuración del ser humano.

El cuerpo biológico presenta unas dimensiones espaciales que lo hacen palpable, unas dimensiones temporales que lo hacen rítmico y cíclico en su funcionamiento, y tiene una estructura física –el sistema nervioso central– que actúa de puente aunando lo biológico y lo sutil, el cuerpo y el pensamiento, el sentir o la propia existencia. Así que somos una parte visible y otra no visible.

Tu punto de partida es importante porque, si queremos cuidar de nuestra salud, hemos de comprender todo aquello que somos para cuidar todas y cada una de sus partes.

Los grandes filósofos hablan de que en el ser humano hay dos necesidades básicas que necesitan ser cubiertas para alcanzar la plenitud. Por un lado, aquellas orientadas al «tener» y, por otro lado, las orientadas al «ser».

Si observamos nuestras realidades, es fácil darse cuenta de que la mayor parte de nuestra vida nos dedicamos a cubrir aquellas necesidades destinadas al «tener»: una propiedad, una carrera, un puesto de trabajo o un ascenso, un coche, ropa, una pareja, un viaje en vacaciones… Nuestra mente está permanentemente en ese futuro, planeando su adquisición, y cuando esta llega, sentimos satisfacción, pero es una emoción positiva muy transitoria, y de nuevo llega el vacío. Es difícil que recordemos con detalle situaciones de este tipo; normalmente suelen caer en el olvido, ya que no hay presencia en ellas, sino tan solo un piloto automático.

Por desgracia, en la sociedad actual no hay cultura de potenciar espacios y actividades diarias donde se cultive nuestra parcela del «ser». Esta necesidad solo queda cubierta de vez en cuando, por ejemplo, cuando nos enfrentamos a un miedo interno y lo superamos, cuando vencemos una resistencia como la pereza al cambio y lo conseguimos, cuando meditamos o cuando estamos cien por cien presentes contemplando una puesta de sol, dando a luz a un hijo o terminando la última etapa del camino de Santiago.

En esos momentos y en otros similares, toda nuestra energía está enfocada a vivir en plenitud ese preciso instante. Suelen ser recuerdos que nos quedan grabados en la memoria. En otro momento te contaré cómo nuestros hemisferios derecho e izquierdo son los responsables de estas vivencias tan diferentes.

En nuestras vidas generalmente gobierna el hemisferio izquierdo: todo es lógico-secuencial-controlado, y mi sensación de estar es siempre en el allá y en el mañana. Te animo a introducir actividades relacionadas con el arte –pintar, cantar, bailar, hacer música, cocinar, jugar, hacer teatro– que activen tu hemisferio derecho, donde «no soy quien tengo que ser, sino aquel que quiero ser». Desde el hemisferio derecho todo es posible, y la vivencia del tiempo es el eterno presente, el «aquí y ahora».

De niños, nuestro hemisferio derecho es el predominante; conforme nos vamos haciendo mayores, el izquierdo va ganando protagonismo y la vida se convierte en casi un «piloto automático». ¿Usarías solo la mano y la pierna derecha para andar por la vida, cuando tienes las dos? ¿Por qué, como adultos, la mayoría apenas usamos nuestro hemisferio derecho? ¿Quién nos ha hecho creer que no somos artistas capaces de crear nuestra propia vida? ¿Cómo puede ser que no haya arte en nuestro día a día? Si atrofiamos partes de nosotros, es complicado sentir ese estado de salud superior al que aspiramos.

Te invito a que profundices en todas aquellas materias que te permitirán conocer lo que eres y cómo funcionas. ¡Saca la mejor versión de ti mismo! ¡Exporta todo tu potencial!

La mirada hacia la conciencia

El segundo elemento que necesito en este «camino hacia la salud» es el despertar de la autoconciencia, activar la figura del observador, de ese que se da cuenta de lo que ocurre desde la contemplación. Como antes comenté, existen disciplinas que pueden ayudarnos en este proceso: el yoga, la meditación o el taichí, entre otras.

Cultivar y desarrollar la presencia del observador interno es la llave que nos lleva hacia la medicina de los hombres libres. Es algo que forma parte de nosotros, tan solo hay que despertarlo.

La presencia del «conductor del carruaje» cambia mi actitud interna hacia la salud: paso de ser un sujeto pasivo, «Doctor, ¡cúreme!», a ser un sujeto proactivo, «Sé qué me pasa, me doy cuenta de lo que necesito, ¿puedo yo solo o preciso ayuda para cambiarlo?». Solo podré cambiar aquello de lo que me dé cuenta.

Es precioso ver cómo, cuando las personas nos vamos ocupando de generar nuestra propia salud, ¡zas!, de una forma mágica y muy especial, empiezan a surgir en nuestro interior sentimientos de respeto, de lealtad y de amor hacia nuestro cuerpo, observándolo como ese espacio sagrado que alberga nuestra vida.

Como dice mi amiga y colega: «No hay nada más espiritual que el cuerpo». Y es cierto: a través de él podemos experimentar, vivir, crear, sentir, relacionarnos o ser conscientes de nosotros mismos. Cuando esta chispa de conciencia prende, ya no podemos mirar ni cuidar el cuerpo de otra manera.

Algo que me sigue conmoviendo en este sentido es, por ejemplo, ver a la gente comer en un restaurante sin ningún tipo de conciencia. Piden el menú completo: espaguetis a la boloñesa, pollo empanado con patatas fritas, tarta de queso y café. «Ya que lo pago, me lo como todo». Y al terminar, se sienten francamente mal: empachados, somnolientos, pesados y frustrados, porque han tenido que salir más tarde, porque las dos horas siguientes a la comida su rendimiento ha bajado en picado. ¿Qué pasaría si fuesen conscientes de que devoran para cubrir otras necesidades que poco tienen que ver con el hambre? ¿Cómo se sentirían si comiesen únicamente aquello que su cuerpo físico precisa en ese momento? ¿No crees que esa conciencia los haría más libres de sí mismos?

Necesitas a esa figura del observador interno como abanderado en tu particular caminar hacia la salud.

Conocimiento, conciencia y el paso a la acción

El tercer elemento que preciso para caminar hacia la salud es el paso a la acción: sin acción, nada existe.

Podemos tener mucho conocimiento, trabajar la conquista de la conciencia, pero si no nos realizamos, si no se materializa todo aquello que hemos percibido y aprendido en lo sutil del intelecto y de la conciencia, nuestro trabajo no servirá de nada.

Así que en este punto solo quiero decirte que, como seres humanos que somos, nos encontraremos siempre con las dos grandes resistencias al cambio: el miedo y la pereza. Saberlo puede servirnos para elaborar estrategias que nos ayuden a vencerlas.

Es típico que alguien conozca las horas óptimas para hacer deporte, que sepa qué ha de comer, que observe lo bien que le sienta nadar y, de repente, deje de hacerlo porque «ha llegado el frío y me da pereza» o «porque me han cambiado el turno e ir por la mañana se me hace más pesado», o cualquier otra excusa.

Es fácil que sepamos qué nos hace bien, pero que nos quedemos bloqueados en este tercer paso –el del cambio– por no saber gestionar nuestras resistencias internas. Aquí, la figura del observador puede ayudarnos a comprender que tanto el miedo como la pereza no dejan de ser emociones y que, por tanto, puedo y sé gestionarlas. Puede ayudarte traer a tu imaginación la imagen del carruaje: el conductor interno sabe perfectamente gestionar y encauzar las debilidades y las fortalezas del caballo «emocional».

Conocimiento, conciencia y acción serán los elementos claves que tendrás para conquistar tu particular estado de salud superior.

La promoción de la salud biológica

¿Nos vamos adentrando en cómo potenciar tu salud biológica? ¿Quieres acompañarme en los primeros pasos del conocimiento del cuerpo humano? Te propongo continuar con los siguientes pasos para promocionar tu estado de salud actual:

- Aprender la importancia de escuchar y respetar la música de los ritmos del cuerpo.
- Comprender que funcionamos con energía. Quiero enseñarte la trascendencia de ocuparnos de cuidar la cama y la cocina como las principales fuentes de energía física, mental y emocional.
- Te mostraré nociones sobre nutrición óptima para que tus células tengan nutrientes de calidad para construirse y funcionar. Somos lo que comemos y lo que digerimos.
- Espero hacerte consciente de la importancia de una hidratación saludable.
- Te llevarás planes de acción para promocionar tu salud a través del cuidado de la cama y de la cocina.

¿Seguimos?

SEGUNDA PARTE

Promoción de la salud:
ritmo y energía

5.
Escucha los ritmos de tu cuerpo

Hemos comentado previamente que el ser humano es una unidad en su naturaleza interna: cuerpo, mente y emoción son como las diferentes caras de una misma moneda; es obvio si contemplamos nuestra emoción o nuestro pensamiento cuando tenemos un virus de la gripe circulando por nuestro cuerpo físico, por ejemplo. Nuestro cuerpo físico está cansado, somnoliento, dolorido, nuestro pensar está lento, torpe y más descentrado y nuestra emoción, por lo general, también refleja esa falta de energía general con apatía, tristeza y desgana.

Lo cierto es que el ser humano no es solo una unidad interna; forma también una unidad con la naturaleza en la que vivimos, la Tierra, el cosmos. Nuestro cuerpo físico, especialmente, sigue conectado con el funcionamiento rítmico y cíclico de todo lo que nos rodea, aunque nuestras esferas emocionales o mentales nos hagan creer que vivimos desconectados de la naturaleza.

Nuestro sistema nervioso aúna nuestra naturaleza interna con la naturaleza externa. Por ello, el funcionamiento de nuestro cuerpo sigue, como todo en la naturaleza, la música de los ciclos y de los ritmos.

Para caminar hacia la salud es crucial conocer la dimensión temporal del cuerpo humano. Este es ordenado y rítmico. Cada acción, cada función, cada hormona o neurotransmisor siguen un ritmo, un ciclo. Hay una hora óptima al día para que cada cosa suceda. Todo nuestro cuerpo funciona como un preciso reloj suizo: cada acción es causa y consecuencia de otra, de ahí la importancia de respetar los tiempos para cada cosa, el ritmo.

Conocer cuáles son los ciclos principales de nuestra biología nos ayudará a «usarnos» de una manera más eficiente.

Si observas tu cuerpo te será fácil ver algunos de estos biorritmos de los que estoy hablando: ¿a qué hora sueles tener hambre? ¿A qué hora te entra el sueño? ¿Con qué frecuencia tienes la menstruación? ¿Cuál es tu hora habitual para ir al baño?

La alimentación, el sueño, el ritmo intestinal o la menstruación son algunos de estos biorritmos.

¿No te parece curioso que a todos nos suba la fiebre por la tarde-noche? La temperatura corporal sigue un ciclo propio y hacia las seis o las siete de la tarde sube unas décimas todos los días para avisar a nuestro cerebro de que empieza a ser hora de ir a descansar. Cuando existe alguna infección y nuestra temperatura ya es un poco más alta, a esa hora se dispara y entra en parámetros de fiebre.

Vamos a ver que en el cuerpo humano todo tiene un sentido y nada sucede por casualidad. El sentido de todo este orden y sincronización interna es la supervivencia del ser humano. Recordemos que somos mamíferos viviendo en la naturaleza, a pesar de lo que nuestra mente quiera hacernos creer.

El biorritmo de la luz-oscuridad: el sueño y la vigilia

Si observamos la naturaleza que nos rodea, algo que sucede día tras día de forma cíclica es la noche y el día. El ciclo de luz-oscuridad es el ciclo externo que más impacta en nuestro orden y ritmo interno, ya que marca nuestro tiempo de actividad-vigilia o de sueño-reparación.

El desorden o la ruptura del ritmo sueño-vigilia es uno de los generadores de caos interno y de enfermedad más importantes. Es fácil saber de qué estoy hablando si hemos experimentado el *jet lag* de un viaje transoceánico, nos hemos pasado unas cuantas noches sin dormir con calidad o nuestro trabajo es nocturno o en turnos rotatorios.

El ritmo de sueño-vigilia es el gran director de orquesta, nuestro reloj interno. Ordena y sincroniza los ritmos que son necesarios para mantenernos en actividad durante el día (el tono muscular, el hambre) o los que ocurren mientras dormimos (reparación del sistema inmune o fabricación de determinadas hormonas).

Podemos ver un ejemplo puntual de lo que estoy hablando conociendo el funcionamiento de nuestro intestino.

Nuestro intestino tiene dos funciones claramente diferenciadas. Durante el día es el responsable de captar nutrientes y energía para poder tener actividad, y durante la noche tiene un papel reparador del sistema inmune y del sistema neurohormonal.

Así, cuando hacemos cenas copiosas por la noche, le obligamos a hacer una función para la que ya no está preparado, ya que, por sentido común, a esas horas nos vamos a dormir y no es necesario digerir y captar energía. Por eso, no respetar el ritmo natural de la alimentación puede debilitar nuestro sistema inmune y reducir los niveles de serotonina o dopamina que fabrica nuestro intestino durante la noche, encontrándonos al día siguiente más tristes, irritados, obsesivos, inseguros, apáticos o desmotivados.

Si te parece, vamos a profundizar en el sueño para comprender la importancia de asentar ciertos hábitos que contribuyan a restablecer la salud global, cuidando la calidad de nuestro sueño y permitiendo que el cuerpo haga lo que sabe hacer durante la noche: repararnos y ponernos a punto para otro día más.

¿Te has preguntado alguna vez cómo se activa nuestro sueño o nuestro despertar? ¿Cómo funciona nuestro biorritmo más importante?

La ciencia nos muestra que regulan el sueño dos áreas de nuestro cerebro: el hipotálamo, que interviene porque es el gran director del sistema nervioso, y la glándula pineal, que es la responsable particular de la regulación del sueño y de la vigilia.

Estos grupos de neuronas están conectados entre sí y, a su vez, a la parte posterior de nuestra retina por un nervio.

La cantidad de luz-oscuridad que les llega por este nervio informa y regula que nuestro cuerpo se posicione en modo actividad-vigilia o en modo reparación-sueño. Existen otros estímulos que llegan a nuestro cerebro y que también contribuyen de una manera secundaria en la regulación del sueño-vigilia, como, por ejemplo, un determinado tipo de ondas que al acumularse en nuestro registro accionan el modo descanso (por eso podemos dormirnos con la luz del día si estamos muy cansados), o bien el ritmo de la temperatura.

Como te decía, la llegada de más luz a través de la retina da al cerebro la información: «¡Eh, que está entrando luz, tenemos que activarnos, es hora de despertar!». En el plano evolutivo es un mecanismo de supervivencia, ya que si permanecíamos dormidos a la luz del día, otros animales podían devorarnos. Por ese mismo motivo, una mujer habitualmente se pone de parto por la noche, porque es más seguro que ella y su bebé puedan sobrevivir, ya que el resto de los animales diurnos que podrían devorarnos, también duermen. ¿No te parece increíble la sabiduría que hay en nuestro cuerpo?

Seguimos. La entrada de más luz provoca que la glándula pineal libere una sustancia activadora, la serotonina, que viajará por todo el cuerpo informando a todas las células: «¡Chicas, pongámonos en "modo acción", que está llegando la hora de levantarnos!». Así, regula la sensación de hambre, activa el tono muscular, promociona la emoción de alegría, el pensamiento concentrado y con dirección, activa el dolor o el proceso de la digestión. Es decir, todas aquellas funciones que nos ayudarán a sobrevivir durante este tiempo de actividad que es el día.

Cuando nuestro sueño no es de calidad, es decir, no cumple con las funciones reparadoras que suceden por la noche, la liberación de serotonina se ve afectada y disminuida. Entonces nos levantamos con un hambre caprichosa –de chocolate, dulces o comidas más energéticas–, contracturas musculares, falta de energía, emociones de apatía e irritabilidad, sentimientos de inseguridad, pensamientos obsesivos y en bucle, digestiones más lentas y pesadas ese día o simplemente podemos sentir más dolor.

¿Entiendes ahora por qué se llama a la serotonina la hormona de la felicidad? Como ves, es una sustancia que maneja el bienestar en lo físico, en lo emocional y en lo mental. Solo un apunte más: nuestro cerebro solo fabrica el 20 % de la serotonina de nuestro cuerpo; el resto es fabricado por la noche en nuestra pared intestinal. ¿Te voy convenciendo para que tus cenas sean cada vez menos copiosas?

Por el contrario, cuando llega la noche y empieza a bajar la intensidad de la luz que entra en nuestro cerebro, la glándula pineal deja de segregar serotonina y empieza a liberar melatonina. Esta viaja por todo el cuerpo avisando a todas las células para que pasen a «modo avión», a «modo reposo»: nos vamos a dormir. En verano, el pico de esta hormona se retrasa y en invierno se adelanta por la luz-oscuridad externa.

Este punto es relevante para comprender y respetar que nuestro cuerpo no puede llevar el mismo ritmo de actividad-descanso en el mes de diciembre, cuando anochece a las cinco de la tarde, que en el mes de junio, cuando a las nueve de la noche todavía es de día. Conocer esto te servirá para aprender a programar de forma óptima, por ejemplo, el tipo de ejercicio físico que practicas al salir de la oficina. En invierno, a las ocho de la noche, tu cuerpo ya está en «modo descanso», por lo que debes buscar un deporte suave, tipo cardiovascular, como natación, por ejemplo; en verano, a esa misma hora, internamente nuestro cuerpo está en actividad todavía y puedes practicar un deporte más competitivo, tipo «clase de *spinning*», sin que genere un estrés alto en tu cuerpo. Quiero puntualizar aquí que la melatonina tiene su propio ciclo interno y que sobre las seis o las siete de la tarde comienza a liberarse; la luz-oscuridad externa tan solo puede ayudar o dificultar que esto suceda.

Así, sabemos que la práctica del deporte durante el día aumenta las concentraciones de melatonina nocturna y que, en cambio, exposiciones a luz brillante por la tarde-noche, la edad o el momento preovulatorio en la mujer las disminuye (es decir, dormimos peor).

Hasta hace relativamente poco tiempo, la melatonina se usaba como «el que abre las puertas del sueño» para reducir el impacto del *jet lag* en los viajes transoceánicos.

Hoy en día, sabemos que esta sustancia es clave para la salud global del organismo por su acción antienvejecimiento, antioxidante, antiinflamatoria, neuroprotectora, por su implicación en potenciar el sistema inmune, por contribuir a la no proliferación tumoral o por el efecto que parece tener en la regulación del peso, al estimular el tejido graso pardo.

Interesante, ¿verdad? Poco a poco irás integrando el porqué insisto en poner en práctica un plan de trabajo para un sueño de calidad.

El biorritmo del cortisol

Si queremos cuidar la calidad de nuestro sueño, el ciclo del cortisol es, sin duda, uno de los que debemos conocer.

El cortisol es, como la adrenalina o la noradrenalina, una de las hormonas reguladoras de la respuesta del estrés. Si el cuerpo siente peligro, libera estas sustancias y todas las células del organismo actúan para conseguir que sobrevivamos al peligro.

Por sentido común, es fácil imaginarse cuál es el ciclo o ritmo natural del cortisol a lo largo del día-noche. Alrededor de las dos o las tres de la madrugada esta sustancia se libera de forma paulatina y lenta, actúa como mensajero para que el cuerpo se vaya preparando para la hora de levantarse. A las siete aproximadamente nuestro cuerpo está listo para despertar y pasar a la acción. Entre esa hora y las doce del mediodía, nuestros niveles de cortisol son altos, nos mantienen en alerta, despiertos y activos. A lo largo del día, puede subir su concentración por un estrés puntual, una llamada incendiaria, una discusión con el jefe, un atasco que nos hace llegar tarde, no comer cuando tenemos hambre…, pero la tendencia es que hacia la tarde sus concentraciones en sangre vayan descendiendo y sean muy bajas a la hora de irnos a dormir.

¿Qué ocurre cuando hacemos deporte a las nueve de la noche y salimos del gimnasio «excitadísimos»? ¿O cuando estamos muy preocupados por un tema que nos genera estrés? ¿Y qué le sucede al cortisol si no comemos adecuadamente? En todos los casos, llegamos a la noche con niveles muy altos de esta sustancia en sangre. Esto produce que o bien no podamos dormirnos porque estemos en alerta excesiva, o bien nos quedamos dormidos, pero hacia las dos o las tres de la madrugada, cuando el cuerpo de forma natural libera cortisol y este se suma al que ya llevemos acumulado, ¡zas!, nos despertemos como un reloj siempre a la misma hora de madrugada.

Este «despertar con hora» en mitad de la madrugada es típico de un nivel de estrés alto. ¿Alguna vez te ha ocurrido lo siguiente?: «No sé por qué llevo unos días que me despierto a las 4:12 de la madrugada, ¡es como un reloj! Y luego me resulta imposible dormirme». Ahora ya sabes la respuesta: niveles altos de cortisol por la tarde-noche.

Este biorritmo será uno de los que más trabajemos para mejorar nuestro plan de acción para un sueño de calidad.

El biorritmo de la alimentación

La conservación del ritmo natural de la alimentación y del ciclo sueño-vigilia tienen un efecto sincronizador interno. Son los dos únicos biorritmos que, mantenidos en su ciclo natural, son capaces de ordenar, sincronizar y armonizar al resto de los cientos de biorritmos que se dan en el cuerpo.

Por ello, el respeto hacia la cama y la cocina son las bases biológicas para proseguir en este caminar hacia la salud.

En lugares donde hay escasez de alimentos, el ritmo de la alimentación es el que gobierna el cuerpo. En nuestro entorno, es un ritmo secundario frente al sueño-vigilia, pero conserva su capacidad de poder ordenar todo nuestro funcionamiento interno.

Investigaciones científicas han demostrado que existen unas horas óptimas donde el proceso de la alimentación-digestión domina en el cuerpo frente a otros procesos. Son momentos en los que la entrada de energía es, sin duda, el aspecto más importante para la supervivencia.

Extrapolando las horas que se observaron en diferentes estudios, podríamos decir que las horas óptimas para la alimentación-digestión serían las siguientes: desayuno entre las siete y las nueve de la mañana, una comida entre las doce y las dos de la tarde, y una cena entre las siete y las nueve de la noche.

¿Empiezas a comprender por qué motivo tus digestiones son incómodas y pesadas cuando comes a las tres y media, después de venir del gimnasio, o a las cuatro, cuando estás en jornada intensiva?

Me gustaría anotar que en la cronodieta o la alimentación acorde a las horas óptimas tan importante es mantener el orden como ser coherente con el ritmo en la necesidad de entrada de alimentos. Me explico.

El ser humano precisa que entren alimentos sincronizados con los momentos de actividad; por eso, mantener el orden interno implica también «desayunar como un rey, comer como un príncipe y cenar como un mendigo». ¿Qué sentido energético tiene ir al trabajo sin desayunar, comer algo rápido frente al ordenador a las tres de la tarde y cenar de manera copiosa cuando nos vamos a dormir?

Nos detendremos en varios capítulos para abordar la elaboración de un plan de nutrición óptimo y profundizaremos en estos y otros aspectos. De momento, te invito a comer como mínimo tres veces al día, dentro de los horarios que hemos comentado y siguiendo el refrán. Notarás un cambio importante en tus niveles de energía, ya lo verás. Además, si comes de manera ordenada, dormirás más profundamente. En el capítulo «Me persigue una manada de mamuts» comprenderás el porqué.

El biorritmo de la insulina

Si para trabajar un buen plan de acción para el sueño hemos de conocer el biorritmo del cortisol, para trabajar un plan de nutrición óptima hemos de conocer cuál es ritmo de la insulina, una de las hormonas claves en la regulación de la energía-alimentación.

La insulina es una hormona que libera el páncreas cuando los niveles de glucosa en sangre ascienden. Por ejemplo, si meriendo un chocolate con churros, los niveles de glucosa en sangre se disparan, así que el páncreas libera insulina. Esta recoge gran parte de la glucosa y la transporta de la sangre al interior de las células, donde se usa como fuente de energía en estado puro o se almacena en forma de grasa.

La insulina, como todo en el cuerpo, tiene su particular ciclo o biorritmo. Por sentido común, es fácil comprender que la sensibilidad a la insulina es mayor durante el tiempo de luz-actividad, cuando es probable que comamos y cuando la glucosa precisa ser llevada de la sangre a las células. Y, en cambio, nuestra sensibilidad a la insulina disminuye hacia la tarde-noche, momento en que la entrada de energía ya carece de sentido. Por este motivo, ayudamos al cuerpo si cenamos de forma ligera y si reducimos el consumo de hidratos de carbono (cereales, pasta, pan, fruta) al final del día.

Comprendemos ahora por qué no es la mejor opción cenar de forma ligera pero a base de dos o tres piezas de fruta, un bol de cereales con leche o un bocadillo como práctica habitual.

El biorritmo intestinal

El ciclo de nuestro intestino no tiene el poder sincronizador del sueño o de la alimentación, pero conocerlo y contribuir a su funcionamiento en hora es clave para que nuestra energía, nuestro humor o nuestro sistema inmune funcionen a pleno rendimiento.

Muchos de los problemas de salud que nos encontramos en la consulta tienen relación con un ritmo intestinal alterado.

«¿Sabes cuál es tu hora de ir al cuarto de baño? ¿La respetas?». Hemos de saber que el intestino es una zona de paso: la comida llega, se digiere, se absorbe, se distribuye a las células lo nutritivo y se desecha por las heces lo que no lo es.

Comprender que tu intestino es una zona de tránsito –y no un cubo de basura que sacas a reciclar el fin de semana– es crucial para evitar muchas enfermedades.

Hasta ahora es casi un tabú o puede parecer de mala educación hablar de él, pero tenemos que recuperar la relación con nuestro intestino, conectar con nuestro ritmo real y personal y respetarlo. Si eso no ocurre, el intestino se va ocupando de sustancias tóxicas y contaminantes que lo van inflamando, se altera la flora intestinal y el intestino enferma. Como consecuencia, la digestión es más difícil y menos eficiente, los nutrientes se absorben peor, nos cuesta más evacuar, y eso hace que tengamos menos energía, que estemos desnutridos, que aparezcan intolerancias a determinados alimentos que no podemos digerir y que el acto de la digestión se convierta en algo desagradable y pesado: «Se me hincha tanto el abdomen que tengo que soltarme el botón después de la comida», «¡Qué somnolencia me entra después de comer, lo paso fatal!».

Y aprovecho en este punto para romper un mito: si comemos adecuadamente y digerimos bien, la digestión no tiene por qué restarnos energía. Es cierto que es un proceso que precisa de mucha energía y atención, pero si usamos bien el conocimiento del cuerpo, agilizaremos mucho este proceso.

Veremos esto en los capítulos dedicados a la nutrición óptima; somos lo que comemos y lo que digerimos, por eso te invito a que recuperes tu ritmo intestinal como una llamada más, ¿cuántas veces interrumpimos una reunión o una conversación por contestar al móvil?

Por otro lado, recuerda que si respetamos el ritmo intestinal de ingerir, digerir y evacuar, ayudamos a que las funciones de reparación que ha de realizar el intestino durante la noche se realicen de forma eficiente.

¿Sabías que la pared intestinal tiene una red neurológica tan compleja que ya está recibiendo el nombre de «el segundo cerebro»? En él se libera el 80 % de la serotonina, la sustancia del bienestar, y el 50 % de la dopamina, la sustancia que regula la motivación y el aprendizaje.

Como ya comentamos antes, uno de los órganos más grandes responsables de la reparación del sistema inmune se encuentra en el intestino, el tejido MALT. ¡Cerca del 70 % de nuestro sistema inmune se repara allí durante la noche!

Conociendo esto, es fácil comprender por qué cuando estamos griposos, necesitamos dormir y tenemos poco apetito. El cuerpo es sabio y nos lleva al descanso para poder reparar y fortalecer el sistema inmune, que, al fin y al cabo, será el que vencerá al virus de la gripe. Por otro lado, si tienes un sistema inmune habitualmente frágil −cuadros de infecciones, alergias, tumores−, observa cómo es la calidad de tu sueño, de tu alimentación y de tu ritmo intestinal, ya que todos ellos están unidos e impactan en la salud de tu sistema inmune.

El ciclo menstrual

Quiero cerrar este capítulo de los biorritmos del cuerpo humano haciendo un breve apunte sobre el ritmo de la mujer, el ciclo menstrual. No voy a extenderme, ya que se podría escribir un libro entero... ¡o dos!

Hay que decir que la primera menstruación llega cuando al pico diurno de las hormonas que regulan los caracteres sexuales femeninos se une un segundo pico nocturno cada día.

Esto nos da una información valiosa: cuando una mujer no ovula adecuadamente, conviene observar cómo es su sueño. ¿Es un sueño de calidad? Muchos problemas de fertilidad o de trastornos menstruales pueden llegar por situaciones de estrés que alteran el sueño e impiden que se dé el ciclo o los biorritmos naturales de las hormonas femeninas. Todo en el cuerpo está unido, y ante cualquier problema de salud hemos de llevar la mirada a los ritmos superiores, que sincronizan el funcionamiento ordenado y sano del cuerpo.

En las mujeres existe un ritmo mensual hormonal. Ten en cuenta que cuerpo, mente y emoción están unidos, de modo que somos cíclicas en nuestro ritmo biológico de ovular o menstruar y también en nuestra creatividad, nuestra manera de sentir, de procesar información, de dormir y de soñar, de relacionarnos con el mundo o con nosotras mismas o en la manera en que vivimos nuestra sexualidad en cada una de las cuatro fases de nuestro ciclo.

Te invito, a las mujeres, a hacer un ejercicio de observación de vuestro ciclo particular en todas estas facetas que he nombrado; te ayudará a conoceros, a respetarte mejor y a tomar conciencia de cómo potenciar tu salud física, mental y emocional.

La cronobiología aplicada al caminar hacia la salud

Podríamos dedicar un libro entero a hablar del sinfín de bioritmos que se dan en nuestro cuerpo, pero creo que ahora tienes la información precisa para comprender por qué vamos a plantear ciertos cambios en los patrones de vida que lleva la sociedad de hoy.

Acepta y respeta la naturaleza rítmica de tu cuerpo, conoce los biorritmos principales y trabaja mano a mano con tu cuerpo; hazle las cosas más fáciles. Este cambio de mirada y de actitud potencia las fuerzas generadoras de salud que tiene tu cuerpo de forma innata, al dormir, al alimentarse, al digerir... El cuerpo tiene mucha sabiduría; empieza a escucharla y a respetarla. Muchas veces lo único que debemos hacer es no hacer nada y permitir que él se ocupe de todo.

Danza y respeta la dimensión temporal que en tu cuerpo se da, y recuerda:

¡ORDEN + RITMO = SALUD!

6.
Cama y cocina

A estas alturas de libro, con las cuatro cosas que hemos comentado, estoy segura de que ya podrías empezar a introducir pequeños cambios que mejorarán tu calidad de vida, especialmente en lo que se refiere a los ritmos y patrones que regulan nuestra homeostasis energética: la cama y la cocina.

No cabe duda de que el funcionamiento de la sociedad actual es rápido y lleno de estímulos constantes. Los rendimientos que se nos exigen –o que nos autoexigimos muchas veces– son altos. Por ello, hemos de convertirnos en nuestros propios mentores de salud y trabajar internamente con aquellos patrones de vida que nos van a permitir alcanzar este alto rendimiento necesario, pero de una manera sostenible y ecológica para nosotros mismos y para nuestra salud.

Así que no queda otra que convertirnos en verdaderos «deportistas de élite de la vida».

Necesitamos tener ese autoentrenador o mentor interno que cuide nuestro cuerpo físico y temple nuestra mente-emoción para que, desde una plena forma, podamos afrontar los retos de cada día sin perecer en el intento.

Para conseguir todo esto, lo primero que tienes que hacer es poner conciencia y atención plena en los dos ritmos que regulan que tu nivel de energía sea óptimo y constante durante el día y durante la noche.

Si te fijas, cuanto más estresados estamos, momento en el que más energía necesitamos para cubrir todas las demandas externas, peor hacemos aquello que nos da energía: comer y dormir. Cuanto más estresados estamos, peor dormimos y peor comemos. Es comprensible que si esta situación se alarga en el tiempo, terminemos enfermando o con disfunciones múltiples que nos incomodan en el día a día.

Así que pongamos dirección en aprender más cosas sobre la cama y la cocina.

Para mejorar el sueño, podemos empezar tomando conciencia de que para dormir bien esta noche has de empezar a preparar tu sueño desde primera hora de la mañana: según vivas el día, así dormirás por la noche. Veremos con detalle todo el plan de acción en el capítulo «Prepara tu madriguera», pero vamos a adelantar algunas ideas.

Vimos el alto impacto negativo que tiene un biorritmo alterado del cortisol en la calidad y la cantidad del sueño, lo que provoca dificultades para quedarnos dormidos o un despertar precoz «con hora». Así que todo aquello que provoque que llegues por la noche con niveles bajos de cortisol ayudará a que tu sueño sea profundo y reparador.

Has de saber que el cortisol, como hormona del estrés, se dispara ante situaciones de peligro real o en las que te sientes amenazado. Si echamos la vista atrás, veremos que el estrés es el mecanismo de supervivencia que ha logrado que nuestra especie llegara al día de hoy «vivita y coleando», porque ha conseguido mantenernos vivos ante las cuatro situaciones biológicas que amenazan la vida del hombre:

- El peligro físico (por ejemplo, el ataque de un animal).
- El hambre.
- La sed.
- La falta de oxígeno.

Estos cuatro son los únicos peligros reales que deberían activar toda la cascada del estrés, ya que el diseño de esta respuesta se ha moldeado evolutivamente para darnos salida ante la amenaza física. Es fácil comprender desde esta mirada por qué el estrés hoy en día, activado bajo una amenaza más mental o emocional, nos enferma. Le estamos pidiendo peras al olmo. Lo veremos con detalle en el capítulo «Me persigue una manada de mamuts».

¿Por qué te explico todo esto? Porque la alimentación y la hidratación mal gestionadas pueden ser esos picos de estrés que podemos evitar si trabajamos con conciencia nuestro patrón de alimentación.

¿No te pasa que cuando sientes hambre pero no comes nada a los pocos minutos la sensación de hambre se pasa? El hambre nos indica que la glucosa en sangre está por debajo de los límites de seguridad y que el cerebro corre peligro, ya que «sin glucosa, no funciona». Si yo no ingiero nada, el cuerpo, ante este peligro de supervivencia, activa la liberación de las hormonas del estrés –cortisol y adrenalina–, que se encargan de generar energía interna mediante la liberación de glucosa en el hígado y en el músculo. Por este motivo, a los pocos minutos si no como nada, el hambre desaparece. El cuerpo es capaz de autogenerar energía. ¿Cuál es el precio que pagar? Niveles más altos de cortisol al llegar la noche y una peor calidad del sueño.

Vamos a aprender cómo mantener curvas de energía-glucosa estables a través de la cronodieta y del aporte de nutrientes óptimos para evitar pulsos de cortisol gratuitos que nos dificulten entrar en el sueño de calidad. Pon orden en la cocina y dormirás mejor. Como ves, todo está ligado e interaccionando día y noche.

Llegados a este punto, hemos de empezar a cambiar la mirada hacia la alimentación. Si me dejas, quiero lanzarte una pregunta: ¿para qué comes?

Por mi experiencia en cursos y conferencias, las respuestas suelen ser: «Porque disfruto mucho comiendo», «Es un placer», «Me alimento para tener energía», «Porque para mí cenar lo que quiero por la noche es una recompensa al día fatal que he tenido»…

Si bien es cierto que a todos nos gusta una comida sabrosa, creo que nos hemos olvidado y desconectado del verdadero valor añadido de la alimentación. Y eso puede ser peligroso.

El cambio de mirada hacia la alimentación: ¿para qué comemos?

Si te parece, busquemos juntos de nuevo la respuesta consciente a la pregunta que te he formulado a través de la contemplación y del conocimiento del cuerpo humano.

Si observamos el cuerpo humano, podemos ver que es la unión de millones y millones de células que trabajan unidas para la supervivencia de un sistema mayor. Todas ellas funcionan y se construyen a partir de los nutrientes que absorbemos en el proceso de digestión; según sea la calidad de los nutrientes que yo ingiera, así serán las células que configuren mi cuerpo.

Si rescatamos las clases de biología de la escuela, podremos recordar la estructura de una célula: una membrana impermeable que limitaba con un citoplasma, espacio donde sucedían todos los procesos vitales de la célula, y un núcleo, donde se encontraba la información genética.

La membrana de la célula es grasa, por eso es impermeable; es una doble capa de lípidos atravesada por unas estructuras proteicas que tienen el papel de comunicar a la célula con el exterior formando receptores o canales de comunicación. Estudios recientes hablan de ciertos glúcidos o «azúcares» que le darían un punto de inteligencia individual a la membrana. Es decir, que necesitamos grasa, proteínas y glúcidos o hidratos de carbono para construir cada una de las membranas de las células de nuestro cuerpo. ¿Sí? Y aquí viene el quid de la cuestión: no todas las grasas, proteínas o hidratos que puedo ingerir son igual de óptimos o saludables.

La calidad de la grasa, por ejemplo, es importantísima, ya que hará que tus células sean más o menos rígidas, y eso ayudará o dificultará su funcionamiento óptimo. Como bien sabes, la rigidez enferma.

Por otro lado, nuestro cerebro es, en un 60 % de su peso, grasa. Dependiendo de la calidad de esta, la conducción nerviosa es más o menos eficaz, es decir, que la calidad de la grasa interviene en la optimización de los procesos de inteligencia superior, como la memoria, la atención o el aprendizaje. Interesante, ¿verdad? Es hora de dar respuesta a algunas preguntas: ¿qué tipo de células quieres construir? ¿Cómo quieres que sea la grasa que configure tus neuronas?

Si dirigimos la atención hacia qué elementos forman el núcleo de nuestras células, veremos que toda nuestra información genética, nuestra cadena de ADN, es, básicamente, un conjunto de aminoácidos (la parte mínima de proteína) con glúcidos o hidratos de carbono.

Por último, estudiando el citoplasma de nuestras células veremos que hay de todo: agua en un porcentaje muy alto, hidratos de carbono en forma de energía pura, grasas o lípidos en forma de reserva de energía lenta, proteínas estructurales o funcionales como la hemoglobina, las hormonas o los neurotransmisores, por ejemplo, y un sinfín de vitaminas y de minerales que actúan como los procesadores inteligentes que permiten que la célula funcione correctamente.

De la observación y el estudio de nuestras células podemos tomar conciencia de que comemos para construirnos y para permitir que nuestro cuerpo funcione de una manera óptima. ¡Debemos comer de todos los nutrientes: agua, hidratos de carbono, grasa, proteínas, vitaminas y minerales! No es saludable suprimir ningún grupo de nutrientes. El próximo capítulo lo dedicaremos en detalle a conocer los grupos de nutrientes, cuáles son los más idóneos para el consumo diario y cuáles son aquellos que deberemos reservar para ocasiones especiales.

Para terminar este capítulo, me viene a la cabeza un cuento, a modo de simbolismo: *El cuento de los tres cerditos*. ¿Lo recuerdas? ¿Cuál es la casa que cumple mejor sus funciones? ¡Exacto! Aquella que está construida con los mejores materiales y con un estado de atención y de dirección plenas. Lo mismo ocurre con nuestro cuerpo: hay una dimensión espacial en él que se construye con presencia, atención y dirección en el proceso de la alimentación.

7.
Eres lo que comes

Si tuviéramos que nombrar uno de los puntales que susten-
tan la salud biológica y psicológica del ser humano sería, sin
ninguna duda, la alimentación óptima y consciente. Posiblemente recuerdes esta frase de tus clases de filosofía en la
escuela: «Que tu medicina sea tu alimento, y el alimento tu
medicina» (Hipócrates, médico de la antigua Grecia, en el
siglo IV a. C.).

Consciente de lo que ya hemos compartido, te invito a
que reflexiones sobre el sentido vivo que tienen todavía esas
palabras, tantos siglos después.

Comencemos a construir un cuerpo sano desde ya, respetando el ritmo natural del cuerpo y seleccionando los nutrientes óptimos para que cada una de las partes de nuestras células se construya y pueda funcionar de la manera más eficiente
posible. Los cinco nutrientes básicos en alimentación son:

1. El agua.
2. Los hidratos de carbono.
3. Los lípidos o las grasas.

4. Las proteínas.
5. Los minerales y las vitaminas.

Dedicaremos un capítulo especial al elixir de vida: el agua.

Los hidratos de carbono, la gasolina para el cuerpo

Los hidratos de carbono, carbohidratos o glúcidos, coloquialmente conocidos como «azúcares», son nuestra fuente de energía pura.

¿Qué hemos de saber y qué debemos modificar de nuestra relación con los hidratos de carbono?

Irás viendo a lo largo del libro la importancia que tiene echar la vista atrás en el tiempo para comprender de dónde venimos y cómo ha funcionado nuestro cuerpo en relación con determinados hábitos de vida. Esta visión evolutiva nos va a ayudar a recuperar buenos hábitos, que hemos perdido por estilos de vida actuales. Comprendiendo que nuestro cuerpo físico actual no ha aparecido de la nada, sino que es el fruto de millones de años de adaptación al entorno en el que hemos vivido como especie, te lanzo una pregunta: ¿cómo hemos obtenido la energía cuando no disponíamos de bollería, un plato de pasta, barritas energéticas, chocolatinas, caramelos, dulces, bebidas azucaradas o de ese café bien cargado con doble ración de azucarillos?

Si observamos la evolución de la dieta humana, han sido las frutas –frutos silvestres– y las verduras –hortalizas, tubérculos, raíces– los hidratos de carbono que han estado alimentando energéticamente al ser humano desde el inicio de los tiempos. ¡Estoy hablando de un período de tiempo que va desde hace casi veinte millones de años hasta el 10000 a. C.!

Fue entre los años 10000 y 7000 a. C, según las civilizaciones que estudiemos, cuando el hombre empezó a cultivar las tierras, y eso le permitió introducir los cereales como una nueva fuente de energía en su alimentación diaria, además de la vegetal.

Y hasta la Revolución Industrial –hace unos doscientos cincuenta años aproximadamente, que a nivel evolutivo eso es «antes de ayer»–, el consumo de cereal se daba en su gran mayoría en su forma natural o integral.

Con la Revolución Industrial (1760-1840) se introduce con fuerza el refinamiento de los cereales, es decir, retiran su cáscara rica en fibra, vitaminas y minerales, dejando solo el grano o glúcido, empobreciendo nutritivamente el cereal a expensas de hacerlo más fino o bonito a la vista. La elaboración de alimentos procesados e industrializados derivados del cereal ha ido creciendo lentamente, hasta dispararse su producción y su consumo en los últimos setenta años.

Una trayectoria similar describe el «azúcar puro» o sacarosa, una sustancia con escaso valor nutritivo que se introduce en Europa en la Edad Media. En el siglo XVI era una sustancia muy escasa que se dispensaba en farmacias, y continuó así hasta más tarde; en los siglos XVIII y XIX era una sustancia de lujo a la que solo accedían las clases más altas de la sociedad europea. En aquella época se usaba como un excitante, como una «droga». Hoy en día podemos ver el efecto que provoca el azúcar administrado a los más pequeños de la casa, cuyos cuerpos todavía no están «adaptados» a esta sustancia.

Llegados a este punto, te invito a hacer un ejercicio muy sencillo: anota qué fuentes de energía has usado en la última semana, ¿fruta, verdura, cereal o «azúcares»? ¿Cuál es la que predomina habitualmente como tu fuente habitual de energía pura?

Según datos de la Organización Mundial de la Salud, el consumo de fruta y verdura ha descendido en el último siglo, mientras que se ha disparado la entrada de «energizantes», como los cereales refinados y los alimentos ricos en azúcar, generalmente asociados a altos contenidos de grasas saturadas. Así que no debería sorprendernos que nos encontremos cansados, malhumorados, poco creativos y que, además, con el paso de los años, engordemos.

El primer cambio que te propongo es volver a la esencia de la nutrición óptima energética: conseguir niveles de energía pura estables, que en el cuerpo se traduce en curvas de glucemia en sangre regulares, sin grandes subidas ni grandes bajadas. Como ya hemos comentado, existe un umbral de seguridad que determina que los niveles óptimos de glucosa en sangre deben estar entre 80 a 120 mg/dl.

Hablamos de esto previamente, pero quiero reforzar este concepto porque es realmente importante.

Cuando nuestro cuerpo nos dice «tengo hambre», hace rugir nuestras tripas, nuestra cabeza se embota o sentimos un apagón de energía general. En el fondo nos está diciendo: «¡Cuidado! ¡La glucosa en sangre está bajando por debajo del umbral de seguridad! ¡Necesitas meter glucosa porque si no, el cerebro no tiene energía para seguir!». Realmente es una llamada de peligro porque tu vida está en riesgo: sin glucosa el cerebro no funciona.

Si nosotros damos respuesta e ingerimos una tostada de pan, una fruta o un plato de arroz, los niveles de glucosa en sangre ascienden y nuestras neuronas recuperan su energía. La insulina es la hormona pancreática que recoge parte de esta glucosa y la lleva desde la sangre al interior de las células, recargándolas también de energía pura.

Si, por el contario, no vamos a comer porque la hora «externa» de la comida es más tarde, o porque hemos parado hace media hora y lo hemos hecho tan mal que volvemos a tener hambre –por ejemplo, tomándonos un café de máquina con dos azucarillos o un par de galletas–, la glucosa sigue descendiendo. En esta situación de peligro, el cuerpo activa su mecanismo interno de supervivencia: libera cortisol y adrenalina, que avisan al hígado y al músculo para que liberen la glucosa almacenada rápidamente, y la glucosa viaja a la sangre y de allí a nuestras neuronas, que se recuperan, y al resto de las células del sistema. Por eso, cuando tenemos hambre y no comemos, en diez o quince minutos «el hambre se pasa».

Como veremos en el capítulo «Me persigue una manada de mamuts», estas sustancias no solo informan del peligro al hígado y al músculo, sino que avisan a todo el sistema.

Ya veremos más adelante las consecuencias del mal uso de la respuesta del estrés por no realizar de forma consciente una nutrición energética óptima.

¿Y qué podemos hacer para conseguir esa nutrición óptima que nos permita llevar un alto rendimiento diario, pero de forma sostenible y ecológica para nuestro cuerpo?

Plan de acción para conseguir energía estable y duradera

1. Primer paso, la **cronodieta**: entrada de energía con orden y ritmo. Cuando la actividad profesional o personal es elevada, te invito a que hagas cinco comidas en lugar de tres, porque no existe ningún nutriente que proporcione una energía estable durante casi ocho horas. Los fines de semana, que solemos levantarnos más tarde o no hay tanta actividad, tres comidas al día son suficientes.

Pauta cinco comidas al día: desayuno, almuerzo, comida, merienda y cena, con un intervalo de tres o cuatro horas entre una y otra.

2. El segundo paso será **restablecer el orden natural** de las cosas: consumir esa energía en forma de frutas, verduras, hortalizas y cereales integrales, reduciendo o suprimiendo la entrada de «azúcares».

Consumir el 60-70 % de la energía que necesitamos en el día en forma de verduras, hortalizas, tubérculos y fruta,

es decir, las cinco raciones que todo el mundo ya conoce: fruta en el desayuno, el almuerzo y la merienda, y verdura en la comida y en la cena, como primer plato.

Anotaciones especiales que quiero hacerte en este punto: la manera de comernos la fruta o la verdura-hortaliza importa, y mucho.

La fruta aconsejo consumirla en pieza entera. Conviene reducir el consumo de fruta en zumos naturales (ya no hablo de zumos industriales) y dejar los batidos para momentos ocasionales. El motivo es que la absorción del azúcar en estos últimos casos es muchísimo más rápida y el tiempo que nos da energía, más corto, al dejar la fibra en el exprimidor o romperla en el efecto batidor. La tomaremos con piel, si su origen es ecológico y libre de pesticidas.

Si pudiésemos ver la comparativa de las curvas de glucemia cuando entra un zumo de tetrabrik enriquecido con azúcar, el zumo natural que yo me preparo en casa con dos o tres naranjas y la curva de una naranja tomada en pieza entera con esos pelitos blancos que todo el mundo retira, comprobaríamos que las curvas evolucionarían desde más picudas y cortas hasta más planas y prolongadas en el tiempo.

¿Y esto qué significa? Que cuanto más picuda es la curva, más insulina tiene que liberar mi cuerpo y menos tiempo de energía me proporciona lo que estoy comiendo. Nos interesan curvas planas y prolongadas en el tiempo.

¡Ojo! He tenido pacientes a los que no les gustaba nada la fruta y lo único que conseguimos introducir fue el zumo de naranja natural en el desayuno. Pues bienvenido sea, claro está, pero lo ideal es lo que te he planteado: una pieza de fruta en el desayuno, otra en el almuerzo y una tercera en la merienda. Te aconsejo evitar la fruta después de las comidas principales, ya que fermenta mucho más y dificulta la digestión.

Respecto a la verdura, para que sea lo más nutritiva posible debemos consumirla en crudo cuando sea posible o bien cocinada al dente. Métodos de cocción tipo al vapor, al papillote, a la inglesa, al *wok* o al horno conservan mejor sus nutrientes y su fibra. La verdura, las hortalizas o las ensaladas son la mejor manera de empezar en las comidas principales (comida y cena), porque su alto contenido en fibra facilita la digestión y ayuda a absorber más lentamente aquellos hidratos que tomemos durante esa comida. Por la noche, dado que tienen mucha fibra y un porcentaje en glúcidos menor que la fruta, se pueden consumir como entrante o primer plato, siempre mejor cocinadas que en crudo para facilitar el fin de la digestión antes de acostarnos.

Consumir el 30-40 % restante en forma de cereales integrales o semiintegrales, reduciendo el consumo de trigo y aumentando la experiencia con nuevas variedades de cereal (mijo, espelta, trigo sarraceno, avena, arroz, maíz o quinoa). Introducir el cereal como base en el desayuno o en el almuerzo o como un plato principal en la comida ya cubre este 30-40 %.

Aconsejo regresar al consumo habitual de cereal integral o semiintegral porque, al conservar la cáscara, el glúcido va unido a la fibra, de manera que la absorción de este es más lenta y nos da una energía más estable y prolongada en el tiempo. Por eso, un pan integral o una pasta elaborada con harina integral tiene un efecto más saciante que el que realicemos con harinas blancas o refinadas.

En este punto quiero apuntar que puede ocurrir que tu intestino no tolere bien la fibra del cereal y te sientas peor al consumir grandes cantidades de cereales integrales. En este caso, te aconsejo visitar el médico para sanar ese intestino posiblemente inflamado.

¿Cómo hemos de cocinar el grano para que su aporte energético sea todavía más óptimo? ¡Al dente! Cuando cocinamos en exceso un grano de cereal (arroz, Kamut), productos derivados de sus harinas (espaguetis, macarrones, *fusilli*) o cuscús y sémolas de diferentes cereales, provocamos que la curva de glucemia se vuelva más picuda que si cocináramos al dente. Lo podemos comprobar con la propia vivencia: un plato de pasta cocinado al dente nos sacia más que una pasta hervida en exceso.

Y hablando de cereales me gustaría hacer una reflexión: ¿Qué cereales conoces y cuáles consumes habitualmente?

En mis cursos y conferencias, hay dos que destacan notablemente: el trigo y el arroz. Alguno más tarde grita: «¡El maíz, el maíz!», y solo si hay algún asistente con intolerancia al gluten se nombran otros cereales.

Voy a dedicar un capítulo especial a entender por qué puede ser que hoy en día la intolerancia al gluten se esté disparando tanto entre niños y especialmente en adultos. Yo tengo mi particular hipótesis: estamos «intoxicados» comiendo tanto trigo y, sobre todo, un trigo tan manipulado. Hablaremos de esto más tarde, ¿te parece?

Me gustaría nombrarte otros cereales. Como sabes, los cereales se presentan en forma de grano, y ahí hay una gran variedad: trigo, centeno, avena, cebada, arroz, maíz, mijo, trigo sarraceno, Kamut, quinoa (es un pseudocereal muy rico en calcio) o amaranto. A partir de estos granos se fabrican las harinas, el cuscús o la sémola; por eso podemos encontrar pastas, bollería, panes y otros derivados de todos estos cereales. Algunos los habrás consumido ya, otros te sonarán y habrá otros que quizá sea esta la primera vez que oyes hablar de ellos.

Yo en ningún momento estoy invitando a retirar el trigo o todo lo que lleve gluten, como hay algunas modas que así lo aconsejan. Yo solo soy partidaria de esa opción si hay una intención curativa en el tiempo y un profesional de la salud detrás acompañando. Hablo de aprovechar la variedad actual de cereales para ir poco a poco enriqueciéndonos con nuevos aportes nutricionales y nuevos sabores. Es de sentido común: si tengo diez frutas diferentes; ¿qué sentido tendría comer solo manzana? Así que te animo a experimentar con nuevos cereales.

Reducir o suprimir los «azúcares»

Te aconsejo que nos vayamos desvinculando del «sabor dulce» a diario y a todas horas y que busquemos otras vías de premiarnos. Y es que vinculamos anímicamente lo dulce con la recompensa; por eso una tarta después de una comilona o un vaso de leche con cacao y magdalenas antes de acostarnos, aunque sepamos que no es lo más óptimo, responde perfectamente a un «¡Porque yo lo valgo!, ¡con el día que he llevado hoy...!» o «¡Necesito darme un premio tras este disgusto que me han dado!». Piensa que estamos trabajando para darnos una alimentación cada vez más consciente y con presencia, y esto no deja de ser una tarea más que explorar en este camino hacia la salud.

Yo aconsejo un consumo muy esporádico de azúcares, edulcorantes y derivados, ya que su aporte nutricional es nulo y su impacto negativo en el cuerpo es alto.

En mis cursos invito a hacer un experimento «inocente»: retirar el azúcar durante tres semanas y sentir qué le ocurre al cuerpo a lo largo de esas tres semanas. ¡Sí, sí, lo sé! Seguro que tus ojos se han abierto como platos ante semejante reto. Te animo a probarlo. Los primeros días no son fáciles, pero una semana después, la mejoría es tan notable que habrá valido la pena.

¡Ojo! Hemos de tener en cuenta que es fácil reducir el consumo del azúcar «visible», ese que pongo en el café, el que hay en el cruasán, las galletas o los churros, en tal bebida azucarada o en el helado, pero es difícil reconocer aquellos azúcares «escondidos» en gran variedad de productos y que ingerimos sin ser conscientes.

Este es parte del problema: consumir mucho azúcar y más del que somos conscientes. Hoy en día, las salsas preparadas, las conservas, los embutidos o ciertos panes, entre otros alimentos, contienen azúcar. No hablo tampoco de volverse un «talibán» en este aspecto, porque, como bien te digo, toda rigidez enferma; por ello, un primer paso es tomar conciencia de que el azúcar y sus derivados han de ir desapareciendo de tu dieta diaria como la manera de sustentarte energéticamente, sustituyendo esas galletas del desayuno por una tostada de pan integral, o esa bollería a mitad de mañana por una fruta y unas nueces o un bocadillito de jamón. Deja el chocolate con churros, las tostadas con mantequilla y mermelada, la tarta de postre o el cruasán relleno de chocolate de la merienda como algo esporádico y festivo.

Ahora ya sabemos el sentido de consumir hidratos de carbono como la mejor manera de dar a nuestro cuerpo unos niveles óptimos de energía; lo ideal es hacerlo a través de la fruta, las verduras, las hortalizas y los cereales integrales o semiintegrales, dejando el consumo de «azúcares» como algo anecdótico.

Las grasas, reguladores de la inteligencia superior

Hasta ahora hemos visto cómo obtener energía de los alimentos de una forma inmediata.

¿Para qué precisamos comer grasas?

Las grasas son una fuente de energía más lenta. Por ejemplo, si a media mañana me como una manzana, es probable que una hora o una hora y media después vuelva a tener hambre. Si acompañamos esta manzana con dos o tres nueces (fuente de grasas poliinsaturadas omega 3), estas nos proporcionarán esa energía más lenta que nos permitirá llegar con un nivel óptimo de vitalidad hasta la comida principal.

Pero hemos de saber que no solo consumimos las grasas por su poder energizante. Son fundamentales, por ejemplo, para construir las membranas de nuestras células, ¿recuerdas? Según la calidad de la grasa que consumas, tus células fabricarán sus membranas con una calidad diferente: más rígidas o más elásticas, y esto influye en su funcionamiento. No es lo mismo construir nuestras células con la grasa procedente del pescado azul o de las nueces que hacerlo habitualmente con la grasa de la margarina o del aceite de palma que se utiliza en la bollería industrial. Luego veremos qué tipos de grasas existen, cuáles son las óptimas para el consumo diario y cuáles para un consumo ocasional.

Otro motivo por el que hemos de consumir grasas es porque nuestro sistema nervioso es, en un 60 %, grasa. Aquí tiene la función de mejorar la transmisión nerviosa, por eso algunos autores llaman a las grasas «los arquitectos de la inteligencia superior», ya que podemos influir en mejorar los procesos de aprendizaje, memoria o atención cuando el consumo de grasa es óptimo y de calidad alta.

Y, por último, existe un grupo de grasas que tienen un alto potencial antiinflamatorio: son los ácidos grasos ricos en omega 3. Estos ácidos activan en el cuerpo la liberación de prostaglandinas, que, a su vez, reducen el impacto inflamatorio que conlleva la actividad frenética del día a día en nuestro cuerpo; son por ello una buena medicina.

Ante todo esto no podemos cuestionarnos si debemos o no consumir grasas, es evidente que sí, ¡las necesitamos!, pero vamos a ver cuáles son las más saludables para introducirlas en el día a día e ir dejando las que no lo son para situaciones especiales.

¿Qué tipo de grasas existen?

Existen dos grupos de grasas: las saturadas y las insaturadas.

Las **grasas saturadas** las encontramos en la carne roja (buey, potro, ternera, caza), los embutidos, la mantequilla y otros derivados lácteos, la yema del huevo, los cacahuetes o en los aceites de palma y de coco.

Es recomendable que el consumo de este grupo sea esporádico y no diario. De manera orientativa, yo recomiendo tomar algunos de estos alimentos una vez a la semana o cada diez días. Por supuesto, se pueden comer unas tostadas con mantequilla algún día, pero lo óptimo para nuestro cuerpo es que, a diario, sean tostadas con aceite de oliva, por ejemplo. Si he de decidir qué tipo de fruto seco me llevo a la oficina para usarlo como tentempié durante la semana, parece lógico elegir entre nueces, almendras o avellanas, dejando los cacahuetes para una ocasión especial.

Ya es conocido que las carnes rojas, muy ricas en hierro y vitamina B_{12}, se relacionan también con la generación de muchos residuos y toxinas en nuestro intestino, por lo que tampoco se recomienda consumirlas con excesiva frecuencia. Existen otras fuentes de grasas y de proteínas que son más ecológicas, para nuestro intestino y colon, que la carne roja.

Por otro lado, tenemos las **grasas insaturadas**, que son más saludables si deseamos consumirlas en el día a día. Aquí podemos distinguir entre las grasas monoinsaturadas y las poliinsaturadas.

Las **grasas monoinsaturadas** se encuentran en el aceite de oliva, en el aguacate y en la mayoría de los frutos secos (salvo el cacahuete y las nueces).

Me gustaría puntualizar que el consumo de frutos secos ha de ir acompañado de una muy buena hidratación, ya que son astringentes, y debido a que son muy calóricos, la cantidad aconsejada para ese tentempié de mitad de mañana o de media tarde es la que quepa en tu puño medio cerrado, no en la palma de la mano abierta, ni la que cabe en la bolsa llena encima de la mesa del despacho.

Siempre es mejor comprarlos con cáscara porque conservan mejor las propiedades; no es lo mismo pelar las nueces la noche antes de llevármelas a la oficina o esa misma mañana que comprar una bolsa con nueces ya peladas desde hace no sabemos cuánto tiempo.

En el grupo de **grasas poliinsaturadas,** encontramos los ácidos esenciales ricos en omega 3 y omega 6.

El **omega 3** es un ácido esencial que encontramos en las nueces, en el pescado azul o de agua fría –salmón, boquerón, anchoa, jurel, bonito, atún, sardina– y en el aceite de lino.

Este tipo de aceite, procedente de la semilla del lino, se consume en pequeñas cantidades y siempre en frío, así que no lo usaremos para cocinar. Podemos poner un chorrito en la crema de guisantes de la cena o bien en nuestra tostada de pan integral del desayuno, y así le damos un toquecito «medicinal» a algunas comidas.

El lino, como semilla, es, además, un excelente regulador intestinal. Cuando padezcas estreñimiento, tómate en el desayuno una cucharada de semillas de lino en remojo desde la noche anterior con un par de vasos de agua durante siete o diez días y notarás la mejoría.

Los alimentos ricos en **omega 6** son las semillas de sésamo, de amapola, de lino o las de chía, las pipas de girasol y las de calabaza, y los aceites vegetales derivados del girasol, de la borraja, de onagra, etcétera.

Te aconsejo tener semillas siempre a mano. Puedes prepararte una mezcla muy saludable a base de ¼ de semillas de girasol, ¼ de semillas de calabaza (limpian nuestro intestino de parásitos), ¼ de semillas de sésamo y ¼ de semillas de lino (reguladoras del ritmo intestinal y antiinflamatorias) y conservarlas en un tarro de cristal para consumirlas a lo largo de dos o tres meses. Añádelas a tus ensaladas, a las cremas, a los cereales del desayuno o bien tómalas como un tentempié a media tarde. Ten en cuenta que saciarán tu apetito proporcionando calorías lentas, además de ayudar a reducir la inflamación que sufre tu cuerpo con los ritmos tan nocivos que llevamos hoy en día. Es importante, eso sí, ¡que te hidrates muy bien!

Las semillas de chía, por ejemplo, son muy energizantes, son una buena opción para añadirlas a tu desayuno, además de ser reguladoras del tránsito intestinal (producen cierto efecto laxante).

Por otro lado, quisiera puntualizar que, entre este grupo de aceites, es preferible consumir aquellos obtenidos de una primera prensada y en frío, y reducir el consumo de aceites vegetales refinados, especialmente si los usas para freír o cocinar.

El aceite más estable a altas temperaturas es el aceite de oliva (grasa monoinsaturada). Por eso es el que se recomienda usar habitualmente para freír o cocinar. Los aceites de girasol, onagra, borraja, etcétera, se recomienda consumirlos preferiblemente en crudo.

El motivo es que los aceites con estructura poliinsaturada son más inestables al calor. Habitualmente, las moléculas de los aceites se organizan de manera natural en una configuración ordenada y estable llamada «isomería cis». Al calentarlo excesivamente, por ejemplo, cuando hacemos una fritura de pescado o de unas croquetas, las moléculas del aceite se rompen con mayor facilidad cuanto más complejo es, motivo por el que los poliinsaturados son más frágiles que los monoinsaturados, y se reestructuran dando unas nuevas moléculas con una configuración desordenada y rígida llamada «isomería trans». Estas nuevas grasas son muy difíciles de metabolizar por nuestro cuerpo y al usarse en la formación de nuestras membranas celulares, por ejemplo, dan lugar a células rígidas que enferman prematuramente;

por estos motivos y otros, la comida trans es tan perjudicial para la salud.

Gran parte del problema de salud de la sociedad actual es el abuso de aceites vegetales refinados y recalentados en los productos de bollería industrial, platos precocinados y demás. Convierten a los omega 6 de los aceites en sustancias proinflamatorias al transformarlos en estas sustancias trans. Por ello, los aceites vegetales son muy saludables si sabemos consumirlos en la forma óptima para conservar sus propiedades.

Respecto a la relación de omega 3 y omega 6, es importante que establezcamos un equilibrio en el consumo a favor de los alimentos ricos en omega 3, como las nueces, el pescado azul o el aceite. Recuerda que son los que tienen un mayor potencial antiinflamatorio.

Recomendaciones generales en el consumo de grasas

Resumiendo: te invito a consumir grasas de alta calidad a diario, especialmente las insaturadas y las ricas en omega 3: aguacate, semillas, aceite de oliva, nueces o pescado azul. Reserva las grasas saturadas presentes en la mantequilla, la carne roja o los embutidos, como los «azúcares», para consumos ocasionales.

Las proteínas construyen y dan vida a nuestro cuerpo

Qué interesante es el mundo de la nutrición, ¿verdad? Deseo que todas estas palabras te ayuden a tomar conciencia de lo vital que es que te ocupes de tu alimentación, desde el conocimiento y la presencia. Si te parece, continuamos con las proteínas.

¿Para qué las comemos?

Al estudiar la célula en el capítulo «Cama y cocina» vimos que, por ejemplo, las proteínas eran fundamentales en la comunicación de la célula con el exterior, ya que la membrana grasa la hacía impermeable y la desconectaba del medio. Gracias a receptores y a canales de membrana que la propia célula fabrica con las proteínas y los aminoácidos que consumimos, la célula puede comunicarse con el exterior.

Por otro lado, observamos cómo nuestro ADN, toda nuestra información genética, se construye con aminoácidos, al igual que un sinfín de hormonas y de neurotransmisores que dan funcionamiento al cuerpo. Es decir, que hemos de consumir proteínas porque todo nuestro cuerpo se construye y funciona gracias a ellas.

Las proteínas pueden ser animales –carne, pescado o huevo– o vegetales –legumbres, algas o pseudocereales–.

¿Qué cambio o propuesta de mejora te invito a hacer en este campo?

Fundamentalmente, tomar conciencia de la calidad de lo que estamos comiendo y recuperar el equilibrio en el tándem proteína animal/vegetal.

Al igual que hemos reducido notablemente el consumo de frutas y verduras versus azúcares y harinas refinadas, algo similar ha ocurrido con las proteínas vegetales versus las animales.

Existe un desplazamiento muy desequilibrado en el consumo de proteína animal versus vegetal. Esto no es saludable para nosotros, ya que la proteína animal genera muchos residuos tóxicos en nuestro intestino. Hoy en día no solo ingerimos la proteína animal, sino que va acompañada de una serie de sustancias, como antidepresivos, ansiolíticos, hormonas, antibióticos o antiparasitarios, que suministran a los animales para «mejorar» la producción y sostener la demanda.

En la actualidad, la manera en la que estamos criando a nuestros animales no es la más óptima ni para nuestra salud, ni para la suya ni para la sostenibilidad de nuestro planeta.

Así que como un punto de mejora para una alimentación proteica más consciente te invito a interesarte por saber: ¿qué come aquello que yo como?, ¿cómo ha sido criado? Porque todo ello entra en tu cuerpo también y lo mismo que lo óptimo te ayuda a construirlo eficientemente, lo no óptimo puede contribuir a desequilibrarlo.

En la consulta hay un comentario común entre la gente: «No puedo comer salmón porque me sienta fatal, me repite durante toda la tarde». ¿Qué ocurre? No olvidemos que el hombre no es el único animal que come para construirse; los animales que están en la naturaleza también lo hacen.

¿Y qué come un pez en el mar o en un río? Plancton, algas y otros peces, es decir, proteína en estado puro. En muchas piscifactorías, los piensos con los que alimentan a los peces no son puramente animales, sino que les han introducido cereales para engordarlos más rápidamente. Pregúntate: «¿Qué como yo realmente?».

No nos sorprende si nuestra hija tiene un desarrollo precoz y el médico nos indica reducir el consumo de pollo, por ejemplo, debido a la cantidad de estrógenos que llevan para criarlos más rápido. ¡¿Para qué quiero yo tomar estrógenos si no los necesito?!

¿Qué alimentos son ricos en proteínas?

Carnes, pescados, huevos o embutidos son ricos en proteínas animales. Si la calidad de la crianza es óptima en animales de carne blanca (pavo, pollo, cerdo) y en animales de carne roja (ternera, buey, caza), debes tener presente que la carne roja es rica en grasas saturadas; por eso se aconseja su consumo esporádico frente a la carne blanca. Puntualizo: si la calidad de la crianza es buena en los dos casos. Hoy en día, gran parte de la carne blanca dispuesta para el consumo se cría en granjas donde se medica en exceso y se alimenta con piensos, y, en cambio, la carne roja puede proceder de animales que pastan libremente en el campo.

Respecto al pescado, ya sabes que se clasifica en pescados blancos (merluza, rape, lenguado, gallo…) o azules (atún, bonito, sardinas, anchoas, salmón…). Estos últimos son ricos en omega 3 y, por tanto, tienen un poder antiinflamatorio.

Con relación al huevo, tienes que saber que es el único alimento que tiene en su clara todos los aminoácidos esenciales que precisamos para la vida. Como sabes, la yema de huevo es rica en grasas saturadas, pero quiero romper una lanza a favor del consumo óptimo del huevo. Es un buen alimento que nos ayuda en la fabricación de los neurotransmisores de la memoria, por ejemplo.

En la sociedad actual tenemos que recuperar la proteína vegetal, las legumbres (lentejas, judiones, judías pintas, alubias blancas, garbanzos), y ¡experimentar con las algas! Son exquisitas espolvoreadas en una sopa, una crema o en una ensalada, por ejemplo, o cocinadas con cereales o con pescados. Pruébalas, ¡te gustarán!

Si las legumbres te provocan muchas flatulencias, puedes experimentar con las lentejas o los garbanzos sin piel, por ejemplo. Se pueden añadir a un puré de verduras y como plato único en la cena son una combinación perfecta. La digestión es mucho más fácil si no tienen piel, y si quieres consumirlas guisadas o rehogadas, hazlo con piel, pero usa el comino cuando las cocines; verás que la digestión mejora notablemente. Otras hierbas aromáticas con poder digestivo son el tomillo, el romero o el laurel: ¡pruébalo! Y como hacían nuestras abuelas, ¡añade un puñadito de arroz!, que contribuye a mejorar notablemente la absorción de esa proteína vegetal.

¿Cuáles son las recomendaciones de consumo?

En relación con el consumo de proteína, insisto en que es necesario reducir la cantidad de proteína animal, ya que por lo general su consumo es realmente excesivo. Debemos reforzar nuestro autocompromiso en mejorar la calidad de esa proteína: no abusar y atender a la calidad de lo que estoy consumiendo.

Se puede consumir proteína animal de calidad tres veces por semana y tres veces puede ser proteína vegetal; esto puede ser suficiente para la población en general, salvando particularidades.

Un consejo que doy en la consulta es: «Sé "vegetariano" dos días a la semana». Come a base de frutas, verduras, ensaladas, hortalizas, legumbres, cereales integrales, semillas o frutos secos. ¡Es una buena combinación para tu salud, ya lo verás! Hemos de buscar el equilibrio en nuestra alimentación proteica.

Vitaminas y minerales

Ya te dejo descansar un ratito de tanta información...

De este último grupo, el de los minerales y las vitaminas, poco voy a decir, no porque no sea realmente importante, –¡sin ellos la vida no podría existir!–, sino porque cuando una persona come bien, come de todo de una manera equilibrada y con calidad, sus necesidades de vitaminas y de minerales se encuentran cubiertas.

Piensa que las vitaminas y los minerales están en todos los alimentos que hemos nombrado: en la carne, en el pescado, en los huevos, en el té, en la verdura, en la fruta, en los tubérculos, en el aceite y en las semillas. Cuida tu alimentación: haz del alimento tu medicina, y que tu medicina sea el alimento.

Recomendación de última hora

Tómate tu tiempo para respirar e interiorizar todo lo que hemos compartido en este capítulo, deja que se vaya aposentando con los días. No tengas prisa. Antes de hacer cambios, de momento, observa tu alimentación en el día a día, tu relación con los hidratos de carbono, los azúcares, las grasas y las proteínas. Tan solo observa.

Poco a poco introduce pequeños cambios; tal vez el primero que aconsejo sea la cronodieta y el refrán que la acompaña. Y ahí observa el cambio. Voy a ver cómo me siento añadiendo ese desayuno que normalmente no hacía o comiendo algo a media mañana y a media tarde. ¿Cómo llego al final del día? ¿Sigo teniendo apagones de energía? ¿Qué le ocurre a mi peso? ¿Me concentro mejor? ¿Estoy menos irritable al terminar el día?

Y así, despacio, vas introduciendo otros cambios. «Ahora voy a experimentar probando algunos de estos cereales nuevos o voy a testar las semillas». De esta manera, ve dando pasitos, uno detrás de otro. En el capítulo «Que no se te acaben las pilas» tienes un plan de acción detallado, que resume todo lo hablado acerca de la nutrición óptima.

En este caminar hacia la salud, hemos de tomar conciencia de que nuestro cuerpo es algo sagrado, un verdadero regalo de vida, y es mucho lo que podemos hacer para contribuir a que esté sano y poder gozar de una salud superior a la que conocemos a día de hoy. Sé consciente del poder y la responsabilidad que nos da el conocimiento de una nutrición óptima para renovar y reinventarnos en lo biológico y en lo sutil a través de la alimentación.

8.
Bebe agua, bebe salud

Cuando hablamos de nutrición en los talleres y en las conferencias, es un contenido que despierta muchas preguntas, cuestiona muchas dinámicas personales y sociales y genera cierto caos al saber que hay que romper con rutinas muy establecidas. «¿Mi café con porras no es lo más óptimo para mi desayuno? ¿No es saludable cenar un bol de cereales todos los días? ¿Y dónde se compran la espelta o la quinoa y cómo las cocino?».

Este caos es necesario para crear un nuevo orden, así que, si te ha removido el capítulo anterior, ¡tranquilo! Vamos por el buen camino. Sigo a tu lado, haciendo crecer juntos este gran talento que es ¡la salud en toda su plenitud!

Vamos con el agua, algo más suave y relajante. Dedico un capítulo aparte a este nutriente porque, como bien sabes, el agua es el elemento clave para la vida, el nutriente básico. Es el elemento que da a nuestro planeta ese color azul tan hermoso y es el elixir donde surgió la vida.

Así que, observemos lo macro para comprender lo micro, de los días pasados a nuestro presente actual. No perdamos la perspectiva, estamos unidos a la evolución y a la naturaleza que nos rodea.

Observemos la relación de la Tierra con el agua para tomar más conciencia de nuestro vínculo con el agua y con la tierra. Si deseas iniciar una hidratación saludable y verdadera de tu cuerpo, necesitas tener toda la información.

El agua y su relación con el planeta azul

¿Sabías que la Tierra no siempre tuvo ese color azul? Hace millones de años, cuando se formó la Tierra junto con el resto del sistema solar, su superficie era roja; era una gran masa cubierta por miles de volcanes en permanente erupción de magma, gases y vapor de agua.

Ese vapor se quedó en la atmósfera y, fruto de un enfriamiento posterior de la Tierra, se condensó y empezó a caer de nuevo sobre la superficie de nuestro planeta, llenando todas sus depresiones y formando los océanos, los mares y los lagos.

Y ahí empezó el ciclo del agua en la Tierra, tal como hoy día sigue sucediendo. Un tiempo después, en esa agua se dieron las condiciones óptimas para el desarrollo de los primeros microorganismos unicelulares. El resto de la historia ya la conoces...

En este punto, te planteo una pregunta que yo me hice cuando empecé a investigar sobre el agua. ¿Se ha formado agua nueva en estos millones de años o sigue circulando la misma agua desde los inicios?

Parece ser que siempre ha sido la misma, de ser así, esa agua ha ido cambiando en su estado a vapor, líquido o hielo, pero ha circulado la misma agua por la Tierra y por cada uno de los seres vivos que la habitamos.

Y desde este punto, surgieron más preguntas: ¿dónde habrá estado el agua que forma en estos momentos mis células? ¿En un glaciar? ¿Habrá recorrido largos caminos fluyendo en un río? ¿Se habrá adentrado en las entrañas de la Tierra? ¡Increíble! ¿no crees?

¿Alguna vez lo habías pensado? Tenemos una visión estática de la realidad, pero lo cierto es que en nuestro interior el agua circula como en la Tierra, existe un ciclo de entrada y salida. ¿Sabías que bebiendo dos litros de media al día tardamos unos cincuenta días en reciclar toda el agua de nuestro cuerpo? Así que es posible que el agua que hay en ti haya estado alguna vez en parajes muy lejanos.

Estas reflexiones me hicieron comprender que el agua nos une a la Tierra y al resto de los seres vivos. Por ello, si queremos tener una hidratación saludable, el primer paso empieza por tomar conciencia de lo importante que es cuidar la Tierra en la que habitamos y cuidar su bien más preciado: el agua.

Espero haber conseguido que empieces a ver el agua y la Tierra de otra manera y que comprendas que nuestra unión con la naturaleza es fuerte y que necesitamos ser más conscientes de ello. Generar menos basura, reciclar, consumir alimentos sobre los que no se hayan usado pesticidas ni hormonas ni antibióticos son maneras de contribuir a ello. Piensa que estas sustancias que nombro son eliminadas por la orina de los animales y, finalmente, terminan impregnando la tierra por donde circula el agua que más tarde nosotros y el resto de los seres vivos bebemos.

Te sugiero que planees como un paso más hacia una salud superior algunas de las acciones que puedes iniciar para empezar este plan de hidratación saludable con relación al cuidado de la Tierra.

Cuidemos del planeta porque la cantidad de agua es limitada; del total de agua que existe, solo el 2,5 % es agua dulce, y de esta la mayoría se encuentra en los glaciares y un porcentaje menor en el subsuelo terrestre. Hemos de empezar a levantar la mirada hacia el mundo y dejar de mirarnos nuestro propio ombligo.

El agua y el ser humano

El siguiente paso para una hidratación saludable es conocer la relación del agua con el cuerpo humano.

Como sabes, no podemos pasar más de dos o tres días sin beber porque el cuerpo deja de funcionar. ¿Y por qué?

Entre el 60 y el 70 % de nuestra masa corporal es agua, algo más en los bebés y algo menos en los ancianos. En una persona que pesa 70 kilos estamos hablando de que ¡42 litros de agua forman su cuerpo! La mayoría de esta agua se encuentra dentro de las células y solo un tercio está en compartimentos extracelulares como la sangre, la linfa, el líquido cefalorraquídeo o el líquido ocular.

El agua tiene funciones diferentes en cada uno de nuestros órganos: transmite el impulso nervioso con mayor eficacia por nuestro cerebro y nervios, transporta nutrientes por la sangre, ayuda a eliminar los tóxicos por el riñón, lubrica los músculos y las articulaciones e interviene en todas las reacciones químicas de nuestras células.

La deshidratación ¡nos estresa!

La proporción de agua varía en los diferentes órganos; la grasa, por ejemplo, tiene un porcentaje bajísimo, un 10 %. En cambio, nuestros órganos vitales –el cerebro, la sangre, el corazón, los pulmones, los músculos o los riñones– tienen un porcentaje superior al 70 % de agua.

Este es uno de los motivos por los que si la hidratación no es adecuada, el cuerpo empieza a activar el principal mecanismo de supervivencia que tenemos los seres humanos: la respuesta del estrés. Un cerebro mal hidratado es más lento y torpe, una sangre mal hidratada se hace espesa y sube la tensión arterial, un riñón sin agua no puede desintoxicar… En esta situación, la supervivencia se complica.

Así que, si falta agua, los niveles de cortisol y adrenalina se disparan en sangre con el único fin de poner a todas nuestras células en «modo supervivencia», activando los mecanismos que nos harán retener y redistribuir el agua interna de una manera eficaz.

Más adelante, cuando hablemos de la respuesta del estrés, veremos la trascendencia que tiene hidratarnos correctamente para que nuestro cuerpo no se inflame ni se oxide prematuramente. Y recuerda: más cortisol al llegar la noche, peor calidad del sueño.

Ahora es más fácil entender por qué hemos de cuidar las entradas de agua y mantener nuestro cuerpo en un estado de hidratación óptimo.

En este punto, quiero hablarte de la sed para que comprendas el plan de hidratación saludable que más tarde te quiero proponer.

El mecanismo de la sed: estrategia de supervivencia

¿Hemos de esperar a beber cuando tenemos sed? Has de saber que la sed es un mecanismo de compensación tardía, es decir, que para cuando sentimos sed ya ha pasado un tiempo en el que nuestro cuerpo ha estado en estado de deshidratación.

Veamos con un ejemplo cómo regula el cuerpo la hidratación, ¿te parece?

Te tomas un zumo concentrado, unas pipas saladas o un buen chocolate con churros, ¿verdad que al momento tienes sed? Tras ingerirlos, aumenta la concentración de glucosa o de sales minerales en la sangre, es decir, la sangre está más concentrada, existe una mayor osmolaridad plasmática, en términos médicos.

La pared de nuestras células está en comunicación con la pared de los vasos sanguíneos. En esta situación, nos encontramos un compartimento llamado sangre con una alta concentración de solutos y otro compartimento llamado células con una baja concentración de solutos. Si recordamos el principio de homeostasis, ¿en qué dirección viajará el agua entre esos dos compartimentos? ¿Del compartimento más concentrado, o sea, la sangre, al menos concentrado, o sea, las células, o al revés?

Al revés. Las células empiezan a soltar agua hacia la sangre para compensar, y esta situación supone un riesgo para la supervivencia del cuerpo, ya que si no restablezco el equilibrio homeostático entre los dos compartimentos, el vascular y el celular, las células seguirán enviando agua a la sangre y en pocos minutos las células se deshidratarán y mis órganos empezarán a fallar.

¡Tranquilo, puedes seguir comiendo pipas y chocolate con churros! El cuerpo es tan sabio que ha diseñado perfectamente el mecanismo capaz de compensar todo esto sin que resultemos dañados.

Cuando el cerebro detecta un aumento de la concentración de solutos en la sangre, lo primero que hace es liberar una hormona, la HAD o la hormona antidiurética. Ella es la que les dice a los riñones: «¡Retened todo el agua que podáis, la necesitamos para diluir la sangre, está muy concentrada!». Nuestra orina empieza a salir entonces de forma menos abundante, más concentrada y oscura. Se activa el sistema renina-angiotensina-aldosterona para retener líquido.

Puntualización: el color de la orina es un buen indicador de tu grado de hidratación interno. Obsérvalo. Cuando hay un óptimo estado de hidratación, es transparente o amarilla muy clara. Colores amarillos oscuros o marrones hablan ya de una deshidratación moderada o severa (o podría ser consecuencia de alguna otra patología renal).

¿Qué pasa si la llegada del agua interna no es suficiente para restablecer el equilibrio en sangre?

En este caso, el cerebro activa el segundo mecanismo de protección: la sed. «¡Por favor, mete agua externa al cuerpo porque con la que tenemos dentro no podemos restablecer el equilibrio!».

Por ello, la sed es como te decía: un mecanismo tardío de compensación; cuando aparece, hace ya un rato que te estarás deshidratando.

Existe un tercer mecanismo compensatorio que tal vez te permita entender cosas que te ocurren, especialmente en relación con los procesos alérgicos. ¿Sabes qué sustancia se encarga de racionalizar el agua en estas situaciones? La histamina.

En un estado de deshidratación aumenta la concentración de histamina en sangre. ¿Conoces esta sustancia? La histamina es un mediador celular muy relacionado con nuestro sistema inmune y es un modulador en los procesos alérgicos; por eso es lógico que una deshidratación empeore nuestros procesos de atopia, asma o rinitis.

Los síntomas de una deshidratación crónica leve

Uno de los grandes problemas de salud con los que nos topamos hoy en día es la existencia de un estado de deshidratación crónica leve. La gente no conoce la importancia de una buena hidratación para que nuestro cuerpo funcione a pleno rendimiento.

Una deshidratación leve puede provocarnos síntomas como sed, dolores de cabeza, debilidad, mareos, cansancio, somnolencia e irritabilidad. ¡Cuántos dolores de cabeza o agotamientos extremos al final del día se aliviarían si la persona se hidratase correctamente a lo largo de su actividad! La experiencia me ha mostrado que hay mucha gente que no bebe agua durante el día. «¡Se me olvida!», dicen unos, y otros dicen: «Es que yo no bebo agua porque no me gusta». Ya hemos visto la importancia del agua en nuestro cuerpo, en cuanto a cantidad, calidad y presencia.

Es más difícil que aparezca una deshidratación moderada y severa en nuestras vidas; la sed nos obliga a ser conscientes y es complejo llegar a esos extremos.

El agua, el alimento imprescindible para una hidratación saludable

¿Cuál es la mejor manera de hidratarnos? ¡El agua!

El mayor porcentaje de agua nos llega a través de los líquidos, pero piensa que no todo lo «líquido» es agua: las bebidas azucaradas, el té, el café, el alcohol, a pesar de ser líquidos, en su mayoría deshidratan; por eso no los uses como la manera habitual de hidratarte. El café y el té, porque son alimentos que fuerzan la diuresis: bebemos agua en ellos, pero la eliminamos rápidamente por la orina. Las bebidas azucaradas o el alcohol nos deshidratan al aumentar la osmolaridad en sangre.

Un ejemplo: imagínate en verano, en la playa, jugando un partido de voleibol o de fútbol; tienes tanta sed y tanto calor que sueñas con la cervecita fresca que te tomarás con patatas fritas en el chiringuito de la playa cuando termines. ¡Error!

Al tomarme de trago esa cerveza tan rica y fresquita, estoy forzando mi diuresis, con lo cual me deshidrato algo más, y más aún si encima me tomo el plato de patatas fritas como aperitivo. Luego, es natural que diga: «¡Como me duele la cabeza, me ha sentado mal tanto sol esta mañana en la playa!». Sigue disfrutando de ese momento placentero, pero con todo lo que ya sabes ahora empieza por tomarte un buen vaso de agua ¡o dos! antes de la cerveza y las patatas. Insisto en que la mejor manera de hidratarse es beber agua. Te ahorrarás bajadas de energía después de comer o un dolor de cabeza al final del día.

Un porcentaje pequeño de agua nos llega a través de la comida sólida; piensa que hasta los frutos secos contienen entre un 1 y un 5 % de agua.

De manera que si queremos hidratarnos de forma correcta, fundamentalmente tenemos que beber agua. El resto de las bebidas pueden ser consumidas «por placer», pero no como fuente de hidratación saludable.

El ciclo de entradas y salidas:
¿cuáles son tus necesidades de agua?

Es lógico preguntarse: ¿cuánta agua necesitamos beber de media al día? Los datos estándar hablan de entre dos y dos litros y medio. Este es un balance promedio para compensar la suma de las pérdidas que tenemos por orina, sudor, respiración o heces a lo largo de un día. Depende de la estación del año, de la humedad en el ambiente, del lugar donde se esté, de la altitud en la que se viva, si se practica un deporte o se está embarazada o lactando, en cuyo caso, por supuesto, la cantidad variará y generalmente tendrá que ser superior.

Piensa que solo nadando media hora perdemos medio litro de agua por el sudor; jugando un partido de fútbol podemos estar hablando de un litro, según la estación del año.

Por eso, si haces deporte debes hidratar bien tu cuerpo, una hora antes del deporte, durante el deporte si es prolongado y durante una hora y media después de la práctica deportiva. Generalmente, si el ejercicio no ha durado más de treinta minutos, el agua suele ser suficiente; si ha durado más tiempo, usa bebidas enriquecidas con minerales.

Una medida orientativa que puede servirte para calcular cuánta agua necesita consiste en dividir tu peso entre ocho; el resultado son los vasos de agua que debes consumir de media

en un día. Así, una persona de 70 kilos ha de beber aproximadamente unos ocho o nueve vasos de agua a lo largo de un
día. El músculo precisa mucha más agua que la grasa, por eso
nuestro peso puede orientarnos sobre las necesidades diarias.
Y el color de la orina siempre te orientará sobre si precisas
más agua o no.

Si no encuentras el momento ni la manera de beber agua,
te aconsejo que lo pautes. Los mejores momentos para beber agua son: antes de empezar a comer, terminar la comida
principal con agua caliente (infusión o caldo) y beber entre
comidas. Podemos beber durante la comida, pero no abusar,
ya que interferimos en el pH de la digestión.

Una manera ordenada de consumir esos dos litros y medio al día, o los ocho o nueve vasos, podría ser la siguiente:

- Bebe dos vasos en el desayuno; ayudarás a que tu intestino se hidrate y se limpie para la llegada de los nuevos
alimentos. Si quieres añadirle el zumo de medio limón,
contribuirás a que el pH de tu sangre se optimice. Puedes
tomar, además, tu infusión o café.
- Bebe un vaso antes de la comida y otro antes de la cena; te
saciarás e hidratarás y limpiarás el intestino antes de que
entre nuevamente la comida. Durante las comidas puedes
tomar un vaso o dos sin problema.
- Termina las tres comidas principales (desayuno, comida y
cena) sustituyendo el postre por una taza de agua caliente
–infusión o caldo–. Este simple hecho mejorará notablemente tu digestión. En los meses de calor tomar agua ca-

liente es menos apetecible, pero procura de todos modos acostumbrarte a no tomar postre.
• Bebe dos o tres vasos entre comidas.

Bebe agua, bebe salud: un plan de hidratación saludable

Resumiendo:

1. Elige el agua como fuente principal de hidratación. Otras bebidas son fuente de placer, pero no de una buena hidratación.
2. Pauta un orden y un ritmo en tu hidratación: dos vasos en el desayuno, dos o tres entre comidas, un vaso al empezar la comida y uno antes de la cena, y termina las comidas principales con un agua caliente en sustitución del postre. No esperes a tener sensación de sed.
3. Recuerda que una hidratación saludable va acompañada de un patrón de nutrición óptimo: consume verdura, fruta y ensaladas y alimentos ricos en ácidos grasos esenciales y reduce el consumo de azúcares y refinados.
4. Si te sientes somnoliento, con poca concentración, dolor de cabeza o fatigado, bebe un vaso de agua y deja pasar diez minutos.
5. Si haces deporte, recuerda la importancia de beber antes, durante y después del ejercicio. En otras situaciones especiales, recuerda hidratarte con más intensidad.

9.
Lactosa y gluten: ¿viejos amigos o nuevos enemigos?

Antes de cerrar este bloque de alimentación consciente, me gustaría poner la mirada durante unos instantes en las intolerancias alimentarias, que se están multiplicando en la sociedad actual como las setas de un bosque en otoño. ¿Qué está ocurriendo?

Recuerdo que cuando era niña y mi madre preparaba un bizcocho para que llevara al colegio el día de mi cumpleaños, era sencillo: solo teníamos que elegir si lo quería de chocolate, de manzana o de naranja y canela.

Hoy en día, las madres y los padres hemos de hacer verdaderos másteres en nutrición y cocina para llevar un bizcocho a la clase de nuestros hijos. Es raro que en una clase no haya ya algún niño con intolerancia al gluten, a la lactosa o ¡a los dos!

Lo más curioso es que el porcentaje en adultos se está incrementando notablemente pasados los veinticinco o treinta años de edad. ¿A qué se debe que estas intolerancias se hayan puesto «tan de moda»?

Si queremos comprender qué nos pasa hoy, hemos de volver nuestra mirada hacia el pasado y a los patrones de vida del ser humano. Si nos centramos tan solo en la alimentación y en lo que hoy ocurre, nos quedamos faltos de información. Ampliemos, como siempre, de lo micro a lo macro.

Una mirada rápida a los patrones de vida actuales

Empecemos echando un vistazo a nuestra alimentación. Hoy en día, por lo general, no respetamos el ritmo natural en la entrada de comida: comemos con prisas, a deshoras, comida «rápida», alimentos de baja calidad, muchas harinas refinadas, azúcares y grasas saturadas. Si es así, es lógico que nuestro intestino no tenga una salud de hierro. Seguimos.

Si nos preguntamos qué tipo de cereal consumimos con más frecuencia, veremos que el 80 o el 90 % de la gente respondería, como sucede en mis cursos: «Trigo casi siempre, algo de maíz en las ensaladas y, bueno, luego el arroz de la paella del domingo o del menú de los jueves en el bar».

¿Alguna vez te has parado a pensar cuánta cantidad de trigo puedes consumir en un día? ¿Hacemos cuentas?: desayunamos bollería, galletas o tostadas hechas de trigo. A media mañana tomamos una barrita, unas galletas, unos palitos de pan del *vending* o un bocata, todo ello hecho con harina de trigo. Llega la comida: un plato de espaguetis de primero, un filete de pollo empanado de segundo y un poco de tarta de manzana. Trigo, trigo y más trigo. La merienda igual se salva porque lo habitual es que no se coma nada. Llega la cena: *pizzas*, pasta, pan con embutidos.

Resultado: ¡trigo, trigo y más trigo! ¿Y si pudiésemos contabilizar también el gluten que encontramos en embutidos, salsas, alimentos precocinados y del que no somos conscientes?

Hoy en día hay un exceso de consumo de trigo. En general, las semillas están tratadas para dar grandes cultivos y cubrir todas estas «necesidades de consumo», así que el trigo actual, por ejemplo, tiene poco que ver con el trigo que consumían nuestros abuelos.

En este contexto es lógico que a nuestro intestino le cueste cada vez más digerir este grano duro, porque no solo ha cambiado la naturaleza del cereal que comemos y la gran cantidad que ingerimos, sino que a todo eso hay que añadir que dormimos cada vez menos horas y de peor calidad y que tenemos cada vez más estrés crónico, lo que produce que nuestro intestino esté inflamado y debilitado en sus funciones.

La alimentación, el tipo de estrés y la calidad de nuestro sueño ha cambiado tan rápidamente con respecto a la de nuestros abuelos o bisabuelos que, genéticamente, el cuerpo no ha podido adaptarse.

Así que es lógico que, si nuestro intestino se ve forzado a digerir alimentos de difícil digestión, fuera de sus horarios óptimos, con un estrés permanente que lo va debilitando e inflamando durante el día y con poco tiempo por la noche para repararse porque cenamos mucho y dormimos poco...

¿Cómo no va a decir: ¡basta!? Y es curioso que en esta situación de debilidad rechace dos alimentos con mucho hincapié: el gluten del cereal y la lactosa de la leche.

¿La medicina evolutiva podría darnos respuestas?

La enfermedad actual, la intolerancia al gluten y a la lactosa, es como una foto fija: podríamos darle vida si miráramos hacia el pasado. Tal vez allí encontremos respuestas al porqué hoy en día nos hacemos cada vez más intolerantes a estos alimentos.

Los datos antropológicos que tenemos nos indican que el hombre, en sus inicios, vivía en los árboles, como los chimpancés o los gorilas, llevando una alimentación fundamentalmente vegetariana a base de hojas, frutos silvestres y algún insecto, gusano o pajarito que pudiera «cazar». Hablo de millones de años atrás.

Un cambio climático provocó que la Tierra dejara de ser tan frondosa como la Amazonia y empezaron a aparecer zonas de desierto. En este punto, el hombre se vio obligado a bajar de los árboles para buscar comida. Su dieta continuó siendo prácticamente vegetariana, aunque incorporaba raíces o tubérculos que hallaba en el suelo. En este caminar por el suelo empezó a encontrarse algo que marcó un antes y un después en nuestra evolución según ciertas hipótesis: la carroña.

El poder romper los huesos y empezar a consumir el tuétano, es decir, grasas de muy alta calidad, parece que influyó en que pudiésemos desarrollar un sistema nervioso cada vez más complejo. Tiempo después, con un cuerpo con más fibra muscular y un sistema nervioso más rápido, pudimos realmente empezar a cazar y a pescar animales mayores con más éxito. Es entonces cuando empieza la **era del cazador-recolector** del hombre.

Si observamos, en el plano evolutivo, el tipo de dieta que ha estado más tiempo presente en la vida de los hombres es la de este período que te estoy contado: mucho vegetal –el 65 o 75 % del aporte nutricional, siendo la principal fuente de energía– con ingestas puntuales de proteína –alrededor de un 16 o 26 %– y de grasa animal –en torno a un 14 %–.

No es hasta el período que abarca del 10000 al 7000 a. C., aproximadamente, según las civilizaciones que estudiemos, que empezamos a encontrar cultivos de cereales y señales de domesticación de animales. Por ello, se cree que no es hasta hace relativamente poco tiempo que el hombre incorpora el cereal y el lácteo con más fuerza en la dieta diaria. Este hito marca la segunda era en la evolución de nuestra alimentación: la **era agrícola-ganadera**, un período muchísimo más corto que el anterior, donde la base sigue siendo vegetariana, pero se suma un pequeño porcentaje de cereales y lácteos e ingestas puntuales de proteína animal y vegetal.

En el siglo XVIII, con la **Revolución Industrial,** esos cereales se empiezan a refinar y a consumir con una tendencia creciente; y en la **era moderna,** la dieta se sustenta en un 70 % en harinas refinadas, azúcares y grasas saturadas.

Este cambio tan radical de una base vegetariana como fuente de energía a una base de cereales refinados, azúcares y grasas saturadas en los últimos 50 o 100 años posiblemente tenga mucho que ver con las intolerancias crecientes que hoy padecemos.

Con esta nueva perspectiva que nos da la medicina evolutiva, podemos preguntarnos: ¿son el gluten y lactosa nuevos enemigos? ¿Hemos de volver a la dieta de los viejos amigos, de aquello que ha estado más tiempo en nuestra dieta en el plano evolutivo?

Podría ser una hipótesis que tener en cuenta: un intestino estresado, inflamado y mal nutrido rechaza aquellos alimentos que se incorporaron los últimos a la dieta del hombre, puesto que son, además, los alimentos que más se han modificado genética y cualitativamente en los últimos años. Si somos objetivos, ¿qué estamos consumiendo? Puede que ya ni el trigo sea trigo ni la leche sea leche.

Intolerancias al gluten y a la lactosa: ¿una enfermedad o un mecanismo de adaptación?

Yo me planteo, bajo esta perspectiva evolutiva, si este crecimiento exponencial de intolerancias al gluten y a la lactosa, especialmente en adultos, responde a un mecanismo de adaptación al medio o si realmente son enfermedades.

Sea de una manera o de otra, la supresión del consumo de cereales ricos en gluten, como el trigo, el centeno, la cebada o la avena, o la supresión de lactosa mejora notablemente los síntomas digestivos y generales de estos pacientes.

Como comenté previamente, te invito a ampliar el consumo a otros cereales diferentes al trigo para enriquecerte de su potencial nutritivo, por ser más fácilmente digeribles y para evitar posibles «intoxicaciones» por un monoconsumo de trigo.

Respecto a los lácteos, me gustaría hacer una reflexión. Si observamos nuestra biología, parece lógico que el intestino de un adulto rechace la leche animal llegado a una edad. Si levantamos la vista de nuestro ombligo y ampliamos nuestro campo de visibilidad, podemos recordar nuestra verdadera naturaleza interna: ¡somos mamíferos!, y aunque es algo que tenemos en el olvido desde que vivimos en grandes ciudades, los mamíferos somos lactantes solo hasta que nos salen los dientes, igual que el resto de los mamíferos.

¿Has visto alguna vez un ternerito que sea amamantado por una vaca cuando ya le han salido los dientes para comer hierba y su mamá ha dejado de amamantarlo?

La salida de los dientes es un signo de maduración de nuestro intestino; indican que el sistema digestivo ya está preparado para empezar a ingerir ciertos alimentos de la especie adulta.

Si observamos lo que ocurre en la naturaleza, donde hay poca contaminación comercial y de otros intereses, los mamíferos dejan de ser lactantes cuando ya están preparados para consumir el «alimento adulto». ¿Por qué nosotros deberíamos ser diferentes? ¿Por el calcio? ¿Qué le ocurre a un niño con intolerancia a la lactosa? ¿No crece? ¿No construye huesos fuertes?

La relación de la leche con el calcio es un mito. Es cierto que la leche tiene calcio y los quesos curados todavía más, pero hay muchos otros alimentos en la naturaleza que también tienen calcio, como los vegetales de hoja verde –acelgas, espinacas, berros, canónigos, recula–, los frutos secos –especialmente las almendras–, los cereales, la quinoa, los mejillones, etcétera.

La lactancia materna tiene un sentido clave en la supervivencia del pequeño, pero en la edad adulta la mayoría ya no conservamos las disacaridasas o enzimas que nos permiten digerir el azúcar de la leche.

Por otro lado, la proteína de la leche de vaca es de un tamaño muy superior a la proteína de la leche materna, y la de cabra y la de oveja son de un tamaño intermedio. Es por ello que con la edad nos puede «sentar peor la leche» y podemos empezar a tener digestiones más pesadas, dolores abdominales o de cabeza asociados, empezar a engordar, a retener líquidos o a notar apagones de energía, si consumimos habitualmente leches de origen animal.

Escucha a tu cuerpo: un experimento inocente

En este contexto en el que todavía hay muchas preguntas sin respuesta, me gustaría exponer una propuesta como una posible vía de prevención y de promoción en relación con el consumo de gluten y de lácteos y de esos intestinos estresados e inflamados. No es mi objetivo en este libro tratar enfermedades, pero sí ayudar a prevenirlas con pautas y, sobre todo, a promocionar salud. Por ello, te ofrezco dos invitaciones:

La primera de ellas es cuidar de tu salud intestinal en los tres planos que más la dañan, implantando paso a paso:

- Un plan de nutrición óptima con ritmo, orden y calidad, para que nuestro intestino se vaya fortaleciendo.
- Un plan que mejore la calidad y la cantidad de nuestro sueño, para que nuestro intestino se repare y desinflame adecuadamente.
- Un plan de manejo de estrés: el arte de relajarse es una buena herramienta.

No te agobies; cuando termines de leer el libro verás que todo está interrelacionado y que en realidad estamos hablando de un único plan de trabajo para conquistar un estado de salud superior.

Mi segunda invitación consiste en que experimentes y decidas por ti mismo según lo que tu cuerpo te cuente.

Por un lado, te invito a suprimir de tu alimentación durante tres o cuatro semanas la leche y sus derivados. Observa cómo responde tu cuerpo. ¿Duermes mejor? ¿Pierdes peso? ¿Te notas deshinchado? ¿Han mejorado los problemas de piel? ¿Tus digestiones son más fáciles? ¿Te notas con más energía? Si no hay una intolerancia real a la lactosa, no es necesario suprimir totalmente la leche después de este experimento, pero sí puedes bajar notablemente su cantidad diaria. Recuerda, además, que se digiere mucho mejor el yogur que un vaso de leche o un queso curado.

Por otro lado, con respecto al gluten de los cereales, si no hay una intolerancia diagnosticada, te invito a experimentar con nuevos cereales, como ya comentamos en el capítulo «Eres lo que comes», y a que reduzcas el consumo de trigo.

10.
Que no se te acaben las pilas

Como te decía al empezar el libro, el ser humano del siglo XXI ha de recuperar el poder y la responsabilidad que tiene sobre su salud a través del conocimiento, de la toma de conciencia y del paso a la acción. ¿Por qué? Porque los patrones de vida, como la alimentación, el sueño, la actividad física o el estrés, han sufrido cambios tan rápidos en los últimos cien años, y en una dirección tan dispar a nuestra verdadera naturaleza, que existe una fuerte incoherencia entre lo que somos y cómo nos estamos usando.

El resultado de este conflicto interno inconsciente: obesidad, estrés crónico, enfermedades cardiovasculares, fibromialgia, fatiga crónica, intolerancia al gluten y a la lactosa, alzhéimer precoz, procesos cancerígenos cada vez más frecuentes y un largo etcétera.

Por ello es importante que despertemos a esta realidad y nos pongamos manos a la obra en este proceso de autoconocimiento de lo biológico y de lo sutil del ser humano si deseamos realmente emprender un camino que nos promocione hacia un estado de salud superior y nos ayude a prevenir las enfermedades más prevalentes en nuestros tiempos.

Nuestros genes tardarán mucho tiempo en adaptarse al medio actual; usemos la inteligencia, de momento, para sobrevivir.

Mentes rápidas, cuerpos lentos

Uno de los aspectos más importantes en este «camino hacia la salud» es recuperar todo el esplendor y el potencial que tiene nuestro cuerpo biológico, un cuerpo físico que en la mayor parte de los casos ha caído en el olvido y en el abandono.

En la mayoría de nosotros existe una gran desconexión entre el cuerpo y la mente. Vivimos desde nuestra mente, una mente rápida y ágil, capaz de abarcar mucho, pero nos olvidamos que debajo de esa cabeza hay un cuerpo que también precisa de nuestra atención. «A veces se me olvida comer, ¡estoy tan liada!», me dice alguna paciente a veces. «Pero ¿dónde estabas tú, mientras tu cuerpo sentía hambre?», le pregunto con los ojos abiertos de par en par.

Un gran médico amigo mío dice que muchos de nosotros tenemos «mentes Ferrari en cuerpos Citroën», mentes veloces, organizadas, ágiles, ambiciosas en logros y en aprender, pero con cuerpos lentos y abandonados que no tienen la energía necesaria para correr tanto.

¿Por qué no aunamos nuestro cuerpo y nuestra mente de nuevo? ¿Qué pasaría si a esa mente tan rápida pudiese acompañarla un cuerpo radiante de vitalidad y de energía? ¿Qué pasaría si la mente aprendiese a calmarse y a reposar en el regazo del cuerpo en determinados momentos?

¿Sabías que hoy en día gastamos más pensando que haciendo, y que nuestro cerebro solo funciona con glucosa? Así que, si queremos conquistar unos buenos niveles de energía en el día a día, hemos de aprender a sosegar nuestra mente, que consume mucha energía y muchas veces la malgasta, y tenemos que recuperar todo el potencial energético y vital de nuestro cuerpo biológico. Cuerpo y mente son una unidad.

Tres claves para hacerlo: practica la escucha activa y el respeto a la musicalidad de los ritmos internos del cuerpo, conquista un estado de energía óptimo a través de una alimentación consciente y de un sueño cuidado y aprende a centrar tu mente, que sea tu observador quien tenga el control del pensamiento.

Así que, si te parece, vamos a recopilar todo lo que hemos compartido en estas páginas sobre biorritmos, nutrición óptima y alimentación consciente y daremos forma a un plan de acción para poder vivir con éxito en esta nueva era sin mamuts: «que no se te acaben las pilas».

Plan de acción nutricional «que no se te acaben las pilas»

Primer paso: a partir de ahora **pon conciencia en el acto de alimentarte**. Sé dueño de tu alimentación. Elige productos óptimos, de zonas próximas, de temporada y con una crianza sana. Nos construimos a partir de lo que comemos. Tu cuerpo ha de ser un lugar sagrado: si él no está sano, tú no podrás vivir en plenitud.

Segundo paso, algo sencillo: ocúpate de ingerir comida cuando realmente la necesites. Aplica el refrán: «Desayuna como un rey, come como un príncipe y cena como un mendigo». Esto te ayudará a **recuperar tu ritmo natural de alimentación**. Recuerda que cuando le pides a tu cuerpo un alto rendimiento pero no le das energía, el estrés se activa para obtener glucosa del músculo y del hígado. ¡Evítalo! Trabaja mano a mano con tu cuerpo, ¡ayúdalo dándole alimentos en el tiempo de actividad!

Tercer paso: vimos en los biorritmos que nuestro sistema digestivo tiene unas **horas óptimas para digerir**. No generes más estrés por comer habitualmente «fuera de horarios», busca estrategias para adaptarte lo máximo posible a las horas óptimas en las que tu cuerpo está orientado a captar nutrientes y energía. Recuerda que en el cuerpo hay un tiempo para cada cosa, como en el resto de la naturaleza; hay un orden interno, ¡respétalo en la medida de lo posible!

A modo orientativo, las horas óptimas son: desayuno entre las siete y las nueve, comida principal entre las doce y las dos, y cena entre las siete y las nueve. Puede oscilar media hora arriba o media hora abajo, pero procura no comer a las cuatro de la tarde ni cenar a las once de la noche habitualmente si tu ritmo de trabajo es diurno.

A veces tendremos que romper con patrones culturales establecidos; es mejor comer a las doce, en nuestro tiempo para almorzar, que a las cuatro, cuando salgamos del trabajo, por ejemplo.

Cuarto paso: dado que las demandas son altas y que no tenemos alimentos que nos proporcionen energía de ocho horas de duración, usemos la **cronodieta o las cinco comidas al día «con hora»**, es decir, pautemos un desayuno, un tentempié a media mañana, una comida, una merienda y una cena.

Cinco comidas al día en jornadas laborales intensas y largas con unas tres o cuatro horas de margen entre ellas. El fin de semana o en vacaciones, cuando nuestros horarios son más flexibles y nuestras necesidades menores, bastaría con realizar las tres comidas principales, e incluso en momentos puntuales, cuando dormimos mucho, dos comidas principales al día son suficientes.

Quinto paso: reduce y organiza la cantidad de comida. Ten claro que las tres comidas principales son el desayuno, la comida y la cena, pero deben dejar de ser un menú completo, especialmente la comida y la cena.

A partir de ahora, evita que tu comida del mediodía sea, por ejemplo, una paella, tres filetes de pollo empanado con patatas y una fruta, arroz con leche o tarta de postre. Todo lo que comes en esta sola comida es una exageración si ya has hecho un buen desayuno y un pequeño almuerzo a media mañana. En realidad, esos tres platos podrían repartirse a lo largo de tres comidas. Me explico:

- En la comida: una ensalada con la paella y una infusión como postre.
- En la merienda: la fruta «del postre».

- En la cena: una ensalada o verdura acompañando al pollo empanado, con una infusión tipo relax o digestiva.

Si continúas con el patrón de «menús completos», es fácil que engordes porque realmente estás comiendo el doble de lo que necesitas.

Sigue el patrón de comer menos y más veces: come algo y gástalo, come algo y gástalo, y así a lo largo de todo el día. Ya tenemos las neveras para acumular energía, no necesitamos acumularla en nuestro cuerpo.

Sexto paso: convierte las comidas principales en un plato único. Haz comidas más ligeras y distribuidas a lo largo del día. Así los platos de las comidas principales pueden convertirse en un «plato único».

Es saludable empezar la comida o la cena con un entrante de fibra vegetal (ensalada o verduras) y tomar después un plato principal. En este plato principal, unos días gobierna la proteína –por ejemplo, un pescado, una carne o una legumbre– y otros días gobierna un hidrato de carbono, como arroz, pasta, patatas, cuscús, Kamut, quinoa, etcétera. Piensa que tres horas después llegará tu merienda y volverás a captar aquello que necesitas. ¡Ya no es tiempo de comerse un menú completo!

Quiero puntualizar que no estoy hablando de hacer una dieta disociada, donde no puedo consumir juntos hidratos de carbono y proteínas. Estoy hablando de elegir un hidrato –arroz, pasta o patatas– o una proteína –carne, pescado, huevo o legumbre– como el plato principal, pero si elijo unas patatas guisadas con bacalao, no me dedico a retirar el bacalao por ser una proteína porque ese día he elegido un hidrato, por ejemplo. ¡Me lo como todo y lo disfruto como plato único!, con una ensalada de entrante. Me estoy refiriendo a que elegir unos espaguetis de primero, pollo asado con patatas de segundo y un postre es una barbaridad para digerirlo.

Te propongo un pequeño esquema para ayudarte a dar forma a tus comidas. Por ejemplo:

- En el desayuno: empezar con una fruta y seguir con un bocadillo, tostadas o cereales.
- En la comida: ensalada, verdura u hortalizas de entrante con hidrato de carbono – arroz, pasta o patatas– o con una proteína –carne, pescado, huevo o legumbre– como plato principal.
- En la cena: ensalada, verdura u hortalizas con una proteína.

Como puedes ver, algunos días al mediodía comerás dos «primeros platos», como una ensalada y un plato de pasta o un gazpacho y una paella; es un cambio en positivo. Haz la prueba.

Séptimo paso: recupera la calidad de lo que comes. La forma óptima de captar energía en estado puro durante el día es a través de la fruta, las verduras o las hortalizas y cereales semiintegrales o integrales de gran variedad. Recuerda que además de arroz, maíz y trigo, existen otros cereales y pseudocereales con grandes propiedades nutricionales y más fácilmente digeribles como el trigo sarraceno, la espelta, el Kamut, la quinoa, etcétera. Reduce el consumo de harinas refinadas, «azúcares» y lácteos, y observa el impacto que hay en tu cuerpo. Decide entonces seguir o no con esta opción.

Las proteínas y las grasas son nutrientes necesarios en el día a día y ya comentamos lo óptimos que son para el consumo diario. Alimentos como los frutos secos te aportan generalmente grasa insaturada, y pueden ser un buen tentempié de refuerzo para acompañar a la fruta de los *breaks*, especialmente las nueces, por ejemplo.

Octavo paso: procura sustituir los postres por infusión o agua caliente para mejorar el proceso de la digestión y mejorar la calidad energética de aquello que comes. Piensa que no solo somos lo que comemos, sino también lo que digerimos. Ayuda a tu cuerpo a hacer una buena digestión. Procura beber agua entre comidas, justo antes de empezar y al terminar, pero no abuses de beber agua mientras comes.

Y el noveno y último paso, el más importante de todos: la hidratación óptima y saludable. Hidrátate con agua. Recuerda que el resto de los líquidos no son óptimos para una buena hidratación. La cantidad media es de entre dos y dos litros y medio al día; repártelos a lo largo de tu día y si no te acuerdas de beber o no te gusta el agua, páutalo: dos vasos en el desayuno, dos en la comida y dos en la cena y termina las comidas principales con agua caliente (infusiones o caldos).

Es obvio que vivimos en una sociedad en la que hay «mucho ruido»; hay mucho estrés externo que no vas a poder gestionar porque se escapa de tu zona de poder, pero existe mucho estrés que se genera por un mal uso del cuerpo (hambre, deshidratación, ruptura de biorritmos) o por una gestión tóxica de las emociones, como vivir desde el miedo. Es ahí donde tienes potestad y la responsabilidad para cambiar las cosas.

Empieza por reducir el estrés biológico que se despierta por hambruna, por una mala calidad en la alimentación o por una hidratación deficiente; haz que tu cuerpo tenga durante el día el combustible que precisa a través de una alimentación ordenada, rítmica, de calidad excelente y de cantidad óptima.

Con esto ya tenemos la mitad del foco de energía cubierto. Ahora nos vamos a ocupar de que alcances el buen dormir. ¿Me sigues?

Plan nutricional consciente «que no se te acaben las pilas»

DESAYUNO

(entre las 7 h y las 9 h)

Hidratos de carbono
- 1 fruta en pieza entera
- Algún cereal (pan integral, cereales en copos o cereales en grano)

Proteína (opcional)
- Jamón serrano, salmón, atún, huevo o lácteo, preferentemente vegetal

Grasa
- Aceite de oliva, aguacate o nueces

Agua, café o infusión

ALMUERZO

(entre las 10:30 h y las 12:30 h)

Elegir entre:

1ª opción
- 1 pieza de fruta
- Frutos secos (2 o 3 nueces o 2 o 3 almendras)
- Agua, café o infusión

2ª opción
- Bocadillo de pan integral
- Agua, café o infusión

3ª opción
- 2 piezas de fruta

4ª opción
- Frutos secos: 2 o 3 nueces, almendras o avellanas

COMIDA

(entre las 12 h y las 14 h)

1er plato verde
- Vegetales, hortalizas, ensalada o verduras

Elegir 1 de estos 2os platos

Opción hidratos de carbono
- Pasta integral, arroz integral, quinoa o patata

Opción proteína
- Carne, pescado, huevo o legumbre

Postre
- Infusión digestiva

MERIENDA

(entre las 15 h y las 17 h)

Elegir entre:

1ª opción
- 1 pieza de fruta

2ª opción
- Frutos secos (2 o 3 nueces o 2 o 3 almendras)

3ª opción
- Bocadillo de pan integral

CENA

(entre las 19 h y las 21 h)

1er plato verde
- Vegetales, hortalizas, ensalada o verduras

2º plato
- Proteínas: carne, pescado, huevo o legumbre

Postre
- Infusión relajante

Algunos ejemplos de desayunos, comidas y cenas

MENÚS	Desayuno	Comida	Cena
1	• Plátano • Tostada de pan integral con tomate y aceite de oliva • Jamón (optativo) • Té negro	• Gazpacho de remolacha • Lenguado a la plancha con ensalada • Infusión de rooibos	• Ensalada completa con huevo duro y jamón york • Infusión de tila
2	• Manzana • Bol de cereales o copos de avena con leche de avena y uvas, nueces y canela • Té verde	• Ensalada • Arroz con verduras • Infusión de menta poleo	• Crema de calabacín e hinojo • Humus de garbanzos con tostada de pan integral • Infusión de melisa
3	• Macedonia de fresas, plátano y pera • Tostada de pan de Kamut con aceite de coco, tahina de calabaza, aguacate y salmón • Té	• Ensalada de escarola • Patatas guisadas con bacalao • Infusión de melisa	• Verdura salteada • Salmón al horno • Infusión de menta poleo

11.
¡Hora de dormir!
Prepara tu madriguera

A estas alturas del libro ya no tendrás ninguna duda de que una de las principales fuentes de energía para nuestro cuerpo es la nutrición; ya hemos hablado ampliamente de cómo mejorarla.

La segunda fuente de energía del cuerpo humano es el sueño, el sueño eficiente y de buena calidad.

En nuestros días, el ciclo del sueño es uno de los biorritmos más dañados por los estilos de vida que llevamos. Insomnio, despertares frecuentes, apneas del sueño relacionadas con la obesidad abdominal, síndrome de las piernas inquietas o la mayor epidemia silenciosa de todas: el sueño de mala calidad.

¿Cómo puedes reconocer que tu sueño es de mala calidad? «No tengo energía», «Me cuesta tener la mente clara», «Tengo la tensión alta», «Me resfrío continuamente», «Engordo y apenas como nada» o «No puedo concentrarme y me falla la memoria».

Científicamente se ha demostrado que la llegada de la luz artificial ha impactado negativamente en nuestra salud en general, al retrasar o aplanar la curva de la melatonina, la sustancia que «abre las puertas del sueño». El efecto transgresor de la luz artificial en nuestro biorritmo principal provoca un desajuste interno similar a un efecto *jet lag* prolongado en el tiempo.

Si recordamos, la melatonina se empieza a liberar todos los días siguiendo el pulso de nuestro reloj interno sobre las seis o las siete de la tarde, pero la llegada de la luz-oscuridad externa puede contribuir o restar la secreción de esta sustancia por nuestro cerebro. La existencia de curvas de melatonina sanas y óptimas tiene un impacto muy beneficioso en nosotros: es el elixir del antienvejecimiento, tiene un efecto antioxidante y antiinflamatorio, posee un efecto estimulador del sistema inmune y reduce, indirectamente, la proliferación de células tumorales, entre otras funciones.

La obesidad, las enfermedades cardiovasculares, el cáncer o el alzhéimer están relacionados con la pérdida de la fuerza generadora de salud que proporciona este sueño de calidad.

¿El sueño es un comportamiento?

Realmente, los estudios sobre el sueño son relativamente recientes, pues datan de mediados y finales del siglo pasado. Hasta entonces, poco se sabía de este fenómeno que se repetía cada día en nosotros. Ahora se sabe que todos los ritmos de nuestras funciones vitales dependen del orden y de la profundidad del ciclo sueño-vigilia.

Las primeras polisomnografías –pruebas en las que se analizan distintos parámetros para estudiar lo que ocurre mientras dormimos– demostraron que el sueño es un comportamiento. Es decir, que mientras nosotros entramos en un estado de conciencia diferente al de la vigilia, en nuestro cuerpo físico se suceden múltiples biorritmos y acciones que tienen como finalidad la reparación biológica y el asentamiento de procesos de memoria, de aprendizaje o de conductas en el organismo.

Se comprobó cómo a lo largo de la noche se van repitiendo dos fases claramente diferenciadas en forma de ciclos: la **fase REM** del sueño (*rapid eye movement*), definida por los movimientos rápidos oculares que se dan, y la **fase no-REM** del sueño.

¿Quieres conocer qué ocurre en tu cuerpo en cada una de estas fases?

Al quedarnos dormidos y durante los primeros noventa minutos más o menos, vamos entrando en la fase no-REM del sueño. En este primer momento, entramos en estados cada vez más profundos de conciencia (en la fase 1 estamos más cercanos a la vigilia; en la fase 3-4 estamos en un sueño muy profundo). Nuestras ondas cerebrales son cada vez más lentas, nuestro tono muscular se va relajando, nuestra temperatura desciende, al igual que nuestras frecuencias cardiaca y respiratoria; es decir, para entrar en el sueño, en nuestro cuerpo se activa el sistema nervioso parasimpático, el sistema de ahorro de energía. Tu mente está tranquila y tu cuerpo relajado.

Pasados unos noventa minutos, nuestro nivel de conciencia se acerca de nuevo a un estado próximo al de la vigilia durante un período muy breve que ronda los diez minutos; es entonces cuando el cuerpo entra en el estado REM del sueño, y ocurre todo lo contrario porque vuelve a activarse nuestro sistema nervioso simpático: se acelera la frecuencia cardiaca y respiratoria y las ondas cerebrales son muy rápidas –de hecho, se las llama «ondas en dientes de sierra»–, y aunque nuestro tono muscular es muy bajo, hablamos de atonía muscular.

Seguro que alguna vez te has despertado de una siesta algo larga en este estado de atonía muscular en el que da la sensación brevemente de que uno no puede moverse.

Después de la fase REM, se reactiva el sistema parasimpático de nuevo y volvemos a caer en fases de conciencia más profundas. Transcurridos otros noventa minutos, volvemos a un nivel cercano a la vigilia, y entramos en esa fase REM.

Se dice que una fase no-REM + una fase REM + una fase no-REM constituyen un ciclo de sueño, y dura aproximadamente entre tres horas y media y cuatro.

A lo largo de la noche se van sucediendo diferentes ciclos de sueño y a medida que avanza la noche, la profundidad de las fases no-REM es menor, mientras que las fases REM van siendo cada vez más largas. Después de unas siete u ocho horas de sueño, en una de las fases REM, nos despertamos.

Sueño REM y no-REM: ¿qué sucede en cada fase?

A grandes pinceladas, podríamos decir que cada una de estas dos fases tiene un objetivo diferente. No voy a profundizar en la psiconeuroinmunoendocrinología del sueño porque, aunque es francamente interesantísimo, no es el objetivo de este capítulo. Sí me gustaría, sin embargo, darte alguna anotación para que comprendas mejor qué te sucede y entiendas el porqué de algunos puntos del plan de acción que te propongo para mejorar tu sueño.

En las fases no-REM hay una tendencia a reparar la parte física de nuestro cuerpo: tejidos musculares, proliferación del sistema inmune, se produce la síntesis de neurotransmisores, como el GABA, que mantiene el sueño, o la serotonina cuando vamos a despertarnos, y la de hormonas, como, por ejemplo, la hormona del crecimiento, la prolactina, las hormonas sexuales de la mujer o el cortisol.

Sabes que necesitamos dormir para crecer y para repararnos, ¿verdad? ¿Quieres saber cómo sucede? Al llegar a las fases 3 y 4 del sueño no-REM se sintetiza la GH u hormona del crecimiento en los niños. Por ello, es crucial que los niños duerman y que su sueño sea profundo. Es muy típico que los niños en edad de crecimiento tengan picos de fiebre y después de estar un día en la cama salgan recuperados y con tres o cuatro centímetros más de altura. Fiebre, crecimiento y sueño tienen un vínculo potente.

En los adultos también es importante alcanzar estas fases tan profundas del sueño porque, en nuestro caso, sintetizamos la IGF-1 o somatomedina, conocida como una de las hormonas antienvejecimiento más importantes en los adultos.

Por eso necesitamos dormir, para crecer cuando somos jóvenes y para que nuestro cuerpo se repare y se ponga a punto cada día, puesto que su uso diario lo inflama, lo oxida y lo envejece.

Seguro que te estás preguntando qué puedes hacer para llegar a la profundidad estas fases 3 y 4 del sueño. Te lo adelanto: el cuerpo no gasta ni un ápice de energía en algo que no es imprescindible para vivir, así que solo entramos en estas fases profundas 3 y 4 cuando estamos físicamente muy cansados o necesitamos reparación física. El ejercicio o la actividad física diaria nos ayudarán a dormir más profundamente por esta necesidad que tiene el cuerpo de repararse. He de decirte que la IGF-1 no solo regula el antienvejecimiento, sino que tiene un papel clave en la distribución de la energía a las células durante el día y es el regulador de la memoria. Por eso cuando dormimos mal varias noches seguidas tenemos mala cara, más arrugas, cansancio y lagunas de memoria.

Como te he dicho, son múltiples las hormonas que se liberan durante la noche para que nuestro cuerpo funcione adecuadamente durante el día y no quiero aburrirte, pero me gustaría hablarte de las hormonas que regulan el ciclo menstrual en la mujer, como la FSH (hormona estimulante del folículo) y la LH (hormona luteinizante).

Hasta su primera regla, la mujer presenta solo un pico de liberación en sangre de estas hormonas al día; con la llegada de la menstruación, las mujeres liberamos dos picos de estas hormonas, uno diurno y otro nocturno. Este pico de liberación nocturno puede ser menor o incluso desaparecer cuando la mujer no tiene un sueño de calidad porque, por ejemplo, está muy estresada y no entra en fases profundas. Este es uno de los motivos por los que el estrés puede dar trastornos menstruales, problemas de fertilidad, acné o menopausias precoces, por ejemplo.

Si presentas trastornos de este tipo, deberías analizar y mejorar la calidad de tu sueño.

Por el contrario, **en las fases REM del sueño**, nuestro cerebro está en una activación simpática; su actividad cerebral es altísima y se defiende la hipótesis de que es entonces cuando consolidamos lo intelectual: procesos de memoria, atención, concentración y aprendizajes.

Por eso, para los estudiantes y para aquellas personas que están preparando oposiciones, el sueño es imprescindible porque consolida conceptos y aprendizajes. A más horas de sueño, las fases REM son más prolongadas en el tiempo. Por eso necesitan dormir cuantas más horas mejor.

¿Ves el grave error que supone quedarte la noche antes de un examen sin dormir para estudiar? Realmente no memorizamos nada de lo estudiado.

Así pues, a grandes rasgos y de una manera muy genérica podríamos decir que las tres primeras horas del sueño van dirigidas al aspecto más físico, y después nuestro sueño está orientado al aspecto más intelectual del ser humano.

¿Cambia el sueño con la edad?

Lo que te he contado es lo que sucede en el sueño de un adulto medio. Para los niños, ya se sabe que en la vida intrauterina existen dos fases de sueño bien diferenciadas, pero su sueño no madura a una fase REM consolidada hasta los seis años; por eso trastornos del sueño típicos de la primera infancia, como terrores nocturnos, pesadillas o despertares frecuentes, desaparecen a esta edad como por arte de magia cuando madura su sistema nervioso.

En los ancianos, por ejemplo, su sueño no-REM se queda prácticamente en las fases 1 y 2; no caen en estadios tan profundos de conciencia, tal vez porque la síntesis de la hormona *anti-aging* va teniendo menos sentido en el plano evolutivo. Su sueño pasa, además, a ser polifásico, como el de los bebés o los niños más pequeños. Los ancianos tienen ciclos de sueño muy cortos con despertares frecuentes, y dejan de diferenciar tan claramente el día de la noche. Por eso hay que ser cautos con la medicación que se da a las personas ancianas para dormir, porque a veces se les pautan dos o tres relajantes-hipnóticos para vencer el ritmo natural de su naturaleza y conseguir que duerman toda la noche, pero a veces la sobredosis hace que se encuentren lógicamente más aturdidos y torpes durante el día.

¿Quieres que te cuente un secreto que puede aliviarte? En el adolescente y en el adulto joven, hay solo un *input* de sueño en las veinticuatro horas, y este es nocturno y comienza con la liberación de melatonina a partir de las seis de la tarde. En el adulto medio (cuarenta o cincuenta años) se produce un segundo *input* al mediodía; alrededor de las dos puedes sentir unas enormes «ganas de echar una cabezadita»; es natural, ya que el sistema nervioso necesita «resetearse» y ponerse a punto. Por ello, la siesta a esta edad es tan medicinal como lo es para los niños pequeños.

Ya sé que estarás pensando: «¡Ojalá lea esto mi jefe!». Es cierto que hoy en día todavía no hay cultura de crear espacios de reposo o de relajación en las empresas, y creo que es un error, porque la necesidad de sueño es real y un lugar cálido que nos permita practicar durante cinco minutos una buena técnica de relajación profunda o de respiración guiada –no hablo de una siesta de pijama y orinal– ayudará a las personas a entrar en un estado en el que el sistema nervioso parasimpático se activa ejerciendo su función relajante y reparadora. La eficacia y la eficiencia por la tarde sería muy diferente, ¿o acaso no has experimentado como esos diez minutos de siesta te sientan de fábula?

¿Buscamos una estrategia para vencer ese ratito de después de comer? Empieza por comer cinco veces al día; llegarás con más energía al mediodía y comerás menos cantidad. «¡*Stop* al menú completo!» y, por último, luego busca un lugar tranquilo donde puedas pasear lentamente coordinando tu respiración, o busca un espacio donde poder cerrar los ojos y respirar conscientemente cinco minutos antes de volver al trabajo (puede ayudarte llevarte un audio guiado en tu teléfono). Ya verás como la calidad de la energía que tendrá tu cuerpo por la tarde será mucho mayor.

El insomnio «con hora» de las cuatro de la madrugada

Hoy en día, el principal trastorno del sueño, el insomnio, se asocia en la mayoría de los casos a un nivel de estrés alto, es decir, niveles altos de cortisol y de adrenalina en sangre cuando vamos a acostarnos, justo todo lo contrario a lo que debería ocurrir.

Si estos niveles son excesivamente altos al acostarnos, pueden ocurrir tres situaciones diferentes: que no podamos empezar a dormir, que nuestro sueño sea frágil y superficial con despertares frecuentes o bien, lo más frecuente, que nos despertemos de madrugada «con hora», ¡siempre a la misma hora!, como si tuviésemos un reloj interno que nos despertara a las 4:12 de la madrugada todas las noches. ¿Te ha ocurrido alguna vez?

Ya vimos en el capítulo sobre biorritmos que era el resultado de un ritmo natural del cortisol alterado por una mala gestión del estrés durante el día.

Por ello, si queremos mejorar nuestra calidad del sueño ahora que vivimos en una sociedad sin mamuts que nos persigan, ¿cómo podemos hacerlo? ¿A qué hora del día crees que has de comenzar a cuidar tu sueño nocturno? ¡Exacto!: desde el mismo instante en que te despiertas ese día.

El ritmo que llevas en tu alimentación, la estabilidad energética que consigas con las comidas, tu capacidad para relajarte, el hacer deporte en las horas óptimas o preparar tu madriguera para irte a dormir son algunas de las herramientas que puedes usar.

Las apneas del sueño: el roncador

Otro de los trastornos más frecuentes del sueño que nos encontramos en la consulta hoy en día son las apneas del sueño. Son pausas respiratorias de segundos, o incluso de más tiempo, de las que se sale habitualmente con un ronquido, y se van repitiendo a lo largo de la noche, dificultando un sueño de calidad. En consecuencia, son personas con una somnolencia importante durante el día.

En la mayoría de los casos, se asocian a una obesidad abdominal moderada-severa. El único tratamiento eficaz en estos casos es la reducción de peso y, especialmente, del perímetro abdominal. Los planes de acción donde se trabaje en conjunto con alimentación, sueño, ejercicio y gestión de estrés, pueden ser de gran utilidad para estos pacientes. En el capítulo 14 hablaremos un poco más de la obesidad abdominal.

«Prepara tu madriguera, te vas a dormir»: plan de acción para un sueño óptimo

Primera herramienta, cuida tu alimentación, en ritmo, cantidad y calidad. Has de conseguir curvas de energía estables, evita el picoteo constante con la entrada de alimentos con energía excesivamente rápida (azúcar, dulces, bebidas azucaradas, bollería, zumos) que nos llevan a la falta de energía durante el día y a la hambruna voraz durante la noche. Pauta tus cinco comidas con nutrientes óptimos y con una entrada de energía de «más cantidad durante el día y menos hacia la tarde-noche», como ya conoces. De esta manera, evitarás hipoglucemias o hambrunas que disparen el cortisol.

Segunda herramienta, el deporte. Es imprescindible introducir el ejercicio físico en tu día a día, porque nuestro cuerpo está diseñado para el movimiento. Si no hay cansancio físico, es más difícil llegar a fases profundas del sueño.

Si te gusta el deporte, instáuralo como una práctica en el día a día, y si nunca lo has incorporado como un hábito en ti, ¡hazlo esta vez!

Busca algo que puedas hacer sin mucho esfuerzo hasta que vayas cogiendo fondo e implementando el hábito. Por ejemplo, empieza saliendo a caminar a paso ligero dos o tres días por semana, ponte una buena música y usa ese espacio como un tiempo de cuidado para ti. Procura hacerlo mejor en un parque o en un espacio natural; evita pasear por el centro de las ciudades plagadas de coches. Y poco a poco, cuando hayas creado ese espacio, podrás ir incorporando o experimentando con otros deportes cardiovasculares. A veces nos resulta complicado por nuestros horarios laborales, pero procura encontrar un espacio en tu semana para ello: los beneficios a corto y a largo plazo son notables.

¿Y qué consideraciones hemos de tener para hacer un deporte más intenso?

Evita hacer deporte de noche. Se podría aceptar el salir a pasear en verano de ocho y media a nueve y media después de la cena y con menos calor, pero ahora me estoy refiriendo a un deporte «competitivo».

Cuando estás muy cansado, has comido fatal porque has tenido un día muy estresante y llevas a tu cuerpo en esas condiciones de «agotamiento» a hacer deporte a las nueve de la noche, ¿qué sucede?

Cuando se juntan estas cuatro variables –hambre, cansancio, noche y estrés–, salimos del deporte con una sensación de «excitación» debido al subidón de adrenalina y de cortisol que ha tenido que liberar tu cuerpo para aguantar esa clase de *spinning*, de zumba, el partido de básquet, fútbol o pádel. Sea el deporte que sea, puede retrasar la entrada en el sueño, o el exceso de adrenalina, hacer que nuestro sueño sea más frágil. Hemos de conseguir los beneficios del deporte para el sueño sin elevar nuestros niveles de cortisol y adrenalina al final del día. Así que, ¿qué podemos hacer?

En el horario de tarde-noche se recomienda el deporte cardiovascular: caminar, nadar, *footing*, bicicleta, elíptica o tonificación. Recuerda que es más eficaz la práctica diaria, aunque sea un espacio corto de tiempo (treinta o sesenta minutos), que hacer deporte tres horas seguidas un día por semana.

En cambio, si practicas deportes competitivos a partir de las nueve de la noche porque no hay opción de practicarlo al mediodía o por la mañana, recomiendo aplicar cuatro normas: ordena tu comida durante el día, merienda-cena dos horas antes del deporte, termina después del deporte con estiramientos lentos y coordinados con la respiración y toma una cena ligera con una buena relajación guiada antes de acostarte.

Durante el día siempre es buen momento para hacer deporte, sobre todo si es cardiovascular (nadar, *footing*, caminar

a paso ligero, andar en bici, elíptica o tonificación): a primera hora, antes de ir a trabajar –puedes desayunar al regreso
si tu cuerpo ya está entrenado–; en torno al mediodía, entre
las doce y las dos y media, pero ten en cuenta que la comida
principal no se retrase en exceso, o entre las cinco y las ocho,
que es cuando los niveles de cortisol van en descenso, por lo
que las roturas fibrilares y las lesiones son menos frecuentes.

Como ya sabes, el cambio de luz-oscuridad marca nuestra
entrada en «modo sueño». Por ello, piensa que las ocho de la
tarde del mes de junio no son las mismas que en noviembre,
y el tipo de deporte que el cuerpo puede gestionar tampoco.

Si no tienes disponibilidad para hacer deporte porque tus
jornadas son muy largas, llegas tarde a casa, tienes que ocuparte de tu familia y no puedes hacer deporte, te propongo
que consigas veinte minutos por la noche para ti: ¡los ejerci-
cios hipopresivos son un gran descubrimiento! O bien haz
una buena tabla de estiramientos durante esos veinte minutos, y si no, ponte aquella música que te encanta bien alta,
a tope, y empieza a bailar como si nadie pudiese verte. Es
una buena fórmula para descargar cortisol, te mueves y, además, puedes compartirlo con toda la familia.

La tercera herramienta es muy fácil de aplicar y los re-
sultados son vivenciados al instante: **practica el silencio y la
relajación activa.**

Llegamos a la noche con mucho ruido fuera y dentro de
nosotros: estrés, problemas, tareas pendientes, diálogos internos eternos y en bucle, pensamientos tóxicos, emociones
que restan más que suman, y con todo ello, ¡hala, a dormir!

Pero ¿cómo no vas a despertarte a las 4:12 minutos con la cabeza a mil por hora? ¿Y acaso te extraña que te levantes cansado? El modo en el que entras al sueño es clave para tu descanso. Verás cómo suena diferente esta opción que te propongo.

¡Para unos instantes antes de acostarte! Cierra los ojos y respira, respira conscientemente durante unos minutos, observa tu respiración, practica una técnica de relajación básica o haz una pequeña meditación. Aquieta tu mente y relaja tu cuerpo de una manera proactiva antes del descanso merecido.

Cualquiera de las técnicas de las que hablo te ayudará a colocar de manera consciente tu sistema nervioso en un estado parasimpático, el «modo descanso, de ahorro o de no miedo», ideal para entrar en un sueño profundo y reparador.

Habrá días que será más fácil que otros relajarte, pero no decaigas: el simple hecho de estar ahí con la intención puesta en relajar tu cuerpo y tu mente ya está generando un cambio. Introduce esta práctica como una rutina, como el lavarte los dientes después de comer o ducharte cada día.

Todo lo que te ayude a crear ese silencio interior será bueno para que tu sueño sea más profundo y reparador. No hace falta especializarse en técnicas orientales: una simple respiración abdominal hecha con presencia y dirección es suficiente. Y úsala también durante el día para aplacar esos picos de estrés que pueden ir apareciendo y que no nos interesa acumular de cara a un sueño reparador: cierra los ojos, respira y relájate antes de irte a dormir.[1]

Por último, prepara tu madriguera. Hemos hablado de **conquistar de forma consciente ese silencio interior antes de dormir**, pero ¿qué pasa en tu día a día durante las dos o tres horas previas al sueño? ¿Cómo se prepara el ambiente en casa al final del día?

Tan importante es crear ese espacio que genere silencio dentro de nosotros como cuidar que exista armonía y una cierta quietud en nuestro hogar.

Hemos de ser cuidadosos. Crea un ambiente cálido, no solo en temperatura, sino también en lo referente al silencio y a la iluminación. Una luz más tenue o una música suave en la casa van a ayudar a que tu cuerpo se vaya soltando y relajando. Ve creando un entorno que te ayude a recogerte, a ir entrando poco a poco en una fase de interiorización, de calma, de quietud, de sosiego.

Recoge tus fuerzas vitales y lleva tus sentidos hacia dentro. Ya no es hora de ir más hacia fuera, ¡ya lo has hecho bastante durante trece o catorce horas! Aprende del ritmo de la respiración: inspira y espira. No puedes estar siempre espirando porque al final te ahogarías. ¡Cuánta ansiedad u otras patologías somatizan esta pérdida del ritmo interno de nuestro ser respirando en la expansión y en la concentración!

---

1. Para ayudarte a implementar este hábito de recogimiento, he grabado diferentes audios con técnicas de autoobservación, de relajación y de respiración a los que podrás acceder en <www.lasaludtumejortalento.com>.

Haz de tu casa un lugar sagrado, acogedor, tranquilo, amoroso, cálido, silencioso o con sonidos armoniosos; construye esa madriguera donde puedes rendirte sin miedo, y pon conciencia en lo que haces en ese tiempo de madriguera en el que te recoges del ruido y de la actividad frenética del día.

Puedes tener en cuenta aspectos «técnicos» que son obvios, y que contribuirán en lo material a sostener una buena madriguera, como elegir un buen colchón, la almohada, la temperatura de la habitación (18 o 19 grados es lo idóneo), la ropa de dormir, las luces en el dormitorio (persianas bajadas, antifaz si hay luz, evitar pantallas de ordenador encendidas o despertadores que desprendan mucha luminosidad) o el ruido, pero yo quiero ir un poco más allá en este plan del sueño porque lo que sucede en esas horas previas a irte a dormir marca una impronta en tu sueño.

Si me lo permites, quiero proponerte algunas preguntas: ¿qué sueles hacer con tu tiempo cuando llegas a casa? ¿Te abandonas en el sofá a ver lo que echan por la televisión? ¿Qué valor añadido te aporta aquello que ves, lo eliges? ¿Son esos *e-mails* realmente tan urgentes que han de ser contestados a las once de la noche en vez de a las ocho del día siguiente? ¿Puedes desconectarte de todos los dispositivos electrónicos que tienes en casa durante ese tiempo? ¿Te gustaría? ¿Qué pasaría si no tuvieses televisión o si el ordenador y el teléfono se hubiesen estropeado? ¿Cuánto tiempo ganarías al día? ¿Qué cosas harías en ese tiempo que siempre dices que no tienes tiempo para hacer? ¿Conversar con tu pareja o hijos? ¿Meditar? ¿Cuidar y regar las plantas de la ventana? ¿Leer un libro apasionante? ¿Prepararte una cena apetitosa que te mereces porque ha sido un día complejo? ¿Darte un baño? ¿Bailar solo o con tu pareja? ¿Descubrir un *hobby* nuevo pintando sin pretensiones, haciendo mandalas o tejiendo una bufanda?

Te propongo nuevamente un experimento: procura no ver la televisión ni usar el ordenador ni el teléfono en este tiempo de la noche durante una semana. Silencia todos los *inputs* externos y ocúpate de ti o de lo que tú realmente necesites en ese tiempo.

Sé consciente de en qué quieres invertir esas tres horas que tienes cuando llegas a casa. Haz una lista de cosas que te gustaría hacer y ponte a hacerlas en este tiempo antes de dormir.

Procura cenar pronto, entre las ocho y media y las nueve y media, y si no estás demasiado cansado, regálate esa hora y media antes de acostarte para ti, y si estás cansado, ve a dormir pronto. Tu salud en general se beneficiará.

Puedes dedicar este tiempo a reactivar tu hemisferio derecho recuperando tu parte artística en la cocina, en la pintura, en la música, en el barro, en el trabajo con cera, haciendo un puzle, bailando, jugando, cosiendo, tejiendo, haciendo una manualidad, ¡creando! Los adultos hemos atrofiado ese lado de nosotros viviendo gran parte de nuestra vida desde el hemisferio izquierdo, desde el «allá y mañana», proyectando, etiquetando, manteniéndolo todo bajo control y pasando gran parte del día con el piloto automático. ¿Cómo vamos a sacar la mejor versión de nosotros mismos si vamos poco a poco atrofiando partes de nosotros…?

Cuestiónate a qué dedicas el tiempo que tienes cuando no estás hacia el mundo.

Te invito a que crees una madriguera donde resguardarte del ruido y de los estímulos externos. Aprovecha ese tiempo para desconectarte del mundo y reconéctate contigo. Bebe de tu fuerza interna, recupera tu equilibrio, tu silencio, tu calma, el sentido de tu vida y enriquécete de ti. No solo dormirás mejor, sino que en tu día a día tendrás una presencia diferente.

Y ahora, si ya es de noche, apaga la luz, cierra los ojos y a dormir.

Plan de acción «prepara tu madriguera»

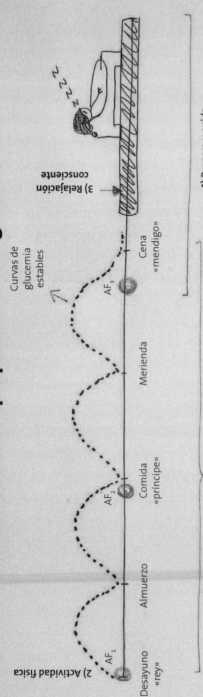

Curvas de glucemia estables

2) Actividad física

AF₁   Desayuno «rey»   Almuerzo   AF₂   Comida «príncipe»   Merienda   AF₃   Cena «mendigo»

3) Relajación consciente

4) Prepara y cuida tu madriguera

1) Nutrición óptima y sostenible → «energía estable»

1. Nutrición óptima y sostenible para una energía estable:

- Cronodieta: cinco comidas al día.
- Desayuna como un rey, come como un príncipe y cena como un mendigo.
- Prioriza estos alimentos en la cena:
  – Ricos en calcio: sardinas en lata, pescado, verduras de hoja verde, sésamo, pseudocereales (amaranto o quinoa) y algas.
  – Ricos en triptófano: huevo, carne, pescado, legumbre (lentejas o garbanzos), frutos secos (almendras o pistachos), semillas, fruta de manera ocasional (papaya, mango, fresas), vegetales (berros, espinacas, canónigos, coles) y aguacate.

2. Horarios de tu actividad física (AF):

Practica deporte cardiovascular antes de las comidas principales, sin alterar el horario de estas.

3. Dedica unos instantes a la relajación consciente antes de acostarte.

4. Prepara y cuida tu madriguera:

- Oscuridad, silencio y temperatura cómoda.
- Reduce o elimina los estímulos visuales del televisor, ordenador, teléfono o tableta al menos una hora antes de acostarte.

TERCERA PARTE

Prevención de la enfermedad

12.
Me persigue
una manada de mamuts

No te preguntas a veces... pero ¡¿adónde voy tan corriendo?! A veces me gusta sentarme en un banco o en una cafetería a observar a la gente y es una locura verla cómo camina, cómo conduce, cómo come..., parece que el mundo se vaya a acabar al minuto siguiente.

Es lógico que luego comenten en la consulta que padecen el «síndrome de la rueda y el hámster». ¿Que qué es? Lo mismo que el «síndrome de la bicicleta estática»: se mueven, se mueven y se mueven, pero no avanzan.

Y me cuentan: «Sí, sí, Lourdes, me siento muy estresado, me paso el día corriendo, resolviendo todo sobre la marcha, comiendo un sándwich mientras respondo *e-mails*, aprovechando para llamar por teléfono al dentista, al pediatra o al fontanero mientras estoy en el atasco; pongo una lavadora mientras preparo la cena y reviso los deberes de mis hijos o llego tan cansado que me hago cualquier cosa rápida para cenar y aprovecho para preparar la reunión X de la mañana siguiente antes de irme a dormir... y duermo inquieto... y corre, y corre que te corre de nuevo al día siguiente».

Mi pregunta es: ¿quién nos persigue ahora que los mamuts ya no están?

Te planteo una reflexión: ¿por qué una respuesta como la del estrés, que nos ha permitido sobrevivir durante millones de años, ahora nos hace enfermar? No puede ser que la naturaleza se esté equivocando. ¿Qué nos está pasando? ¿Qué no estamos haciendo bien?

La respuesta de estrés es un mecanismo de supervivencia que nos ha permitido llegar vivos como especie humana hasta el día de hoy, por lo que el problema no está en el estrés, sino en la inconsciencia de estar estresados y el no darnos cuenta de ello.

Te planteo el reto de reinventarte —¡corremos una maratón cada día!—; lo mínimo es que, como cualquier «deportista de élite», tengamos una preparación física, mental y emocional óptima para superar la carrera con éxito. Saquemos la mejor versión de nosotros mismos para poder vivir en la sociedad actual sin perecer en el intento. ¿Te animas? ¿Sigues caminando conmigo?

La evolución del estrés: ¿necesitamos reinventarnos?

Mira: el principal problema que está generando que el estrés nos enferme es la rapidez con la que ha cambiado el entorno y los estilos de vida en los últimos cien años. Lo que antes nos hacía sobrevivir, hoy nos enferma, porque realmente existe un conflicto entre nuestro diseño genético, nuestra manera natural de responder y los patrones de vida actuales, es decir, el uso que le estamos dando. ¿Se nos estará quedando la respuesta del estrés obsoleta? ¿Podemos pedirle a un mecanismo diseñado para darnos una salida victoriosa a un peligro físico que nos salve de un peligro que hoy en día está más en nuestra emoción o en nuestro pensamiento? ¿Necesitamos reinventarnos?

Si observamos la respuesta del estrés, como mecanismo de supervivencia que es, vemos que ha ido evolucionando a lo largo de la historia de la humanidad. Si la conocemos, veremos que la manera como hemos respondido al peligro no siempre ha sido la misma. Recuerda que somos seres vivos en constante adaptación al medio, y eso continúa hoy en día.

Al inicio de los tiempos, el hombre sobrevivía ante los peligros con una respuesta similar a la que tienen los anfibios, una respuesta que activaba un **sistema nervioso parasimpático no mielinizado** que nos colocaba en una postura de bloqueo o congelación: bajaban las constantes vitales, la temperatura, etcétera; era una respuesta muy «camaleónica», podríamos decir.

Vimos con la experiencia que no nos ayudaba mucho a sobrevivir, así que se quedó guardada como una respuesta antigua en nuestro cerebro más arcaico, y el cuerpo fue elaborando nuevas estrategias de supervivencia. Hoy en día, todavía se activa este modo en alguna situación que nos provoca un gran impacto emocional (una violación, presenciar un asesinato, un tragedia familiar...) que deja a la persona sumergida en un estado de *shock*, paralizada.

Con el tiempo, el sistema nervioso fue adaptando la respuesta a lo que ocurría en la naturaleza externa y fue seleccionando una nueva respuesta de supervivencia totalmente contraopuesta: **la respuesta de lucha-huida, mediada por la activación del sistema nervioso simpático.** En esta, todo el cuerpo se prepara para luchar o salir corriendo y, desde la era del Paleolítico hasta hace cien años, ha sido una respuesta válida que nos ha permitido llegar al aquí y al ahora.

En la actualidad, salvo cuando hay un peligro físico real que amenaza nuestra vida, está dejando de estar «vigente», ya que lo que estimula el estrés en nuestros días es, la mayoría de las veces, el miedo desde el mundo del pensamiento. Pongo algunos ejemplos: «No sé cómo voy a desenvolverme en este nuevo puesto de trabajo que me han asignado» = miedo y estrés; «La situación con mi pareja no es sostenible, he de buscar la manera de hablar con ella para buscar una solución» = incertidumbre, miedo y estrés; «He de reclamar lo que me pertenece, pero ella es tan seria que no sé cómo plantearlo» = inseguridad, miedo y estrés; «No llego a tiempo a la reunión de dirección por este atasco y no podré presentar mi propuesta» = miedo a fallar y estrés. Y muchas más.

Dado que nuestros genes tardarán unas cuantas generaciones en adaptarse a este nuevo modo de vida que llevamos en la actualidad, ¡hemos de reinventarnos! Yo aconsejo aprender y comprender la respuesta del estrés, saber escuchar y autoobservar a nuestro cuerpo y tener herramientas que, desde la voluntad, ejecutemos para reducir, paliar y sanar el impacto de un estrés crónico. Usemos estas y otras herramientas para aprender a vivir en el mundo de otra manera, aceptando que los mamuts ya no nos persiguen.

La psiconeuroinmunoendocrinología: somos una unidad interna

El primer paso de toda esta reinvención es potenciar el autoconocimiento. La psiconeuroinmunoendocrinología (PNI) puede ayudarnos a profundizar en nuestra psique y en nuestra biología desde un prisma científico e integrativo.

Sabemos, a través de la vivencia, que cuerpo, mente y emoción configuran una unidad interna. Ya hemos visto cómo están tus emociones y pensamientos cuando un virus de la gripe ataca tu cuerpo físico. ¿Has tenido alguna vez ansiedad? ¿Cómo responde tu cuerpo ante esa sensación de miedo interno que no puedes manejar: taquicardias, sudoración, temblor, mareo, contracturas…? Es una evidencia que somos una unidad interna.

La PNI nos va a permitir conocer las interrelaciones entre nuestra psique-cerebro (mente-conducta) y los sistemas responsables del mantenimiento homeostático del cuerpo, como son el sistema nervioso (central y autónomo), el sistema endocrino y el sistema inmune. Si te parece, vamos a ver cómo funciona este sistema PNI con algo práctico, a través de la respuesta del estrés.

El «primer mosquetero» del sistema PNI: el sistema nervioso

Vamos a ir conociendo cada una de las partes para comprender después su funcionamiento integral. ¿Qué sabes de tu sistema nervioso, aquel que gestiona el estrés? ¿Qué activa esta respuesta? ¿Qué hacen la adrenalina, la noradrenalina o el cortisol cuando lo liberamos? ¿Por qué aparecen múltiples síntomas en las fases iniciales? ¿Qué hace que se desencadenen enfermedades en situaciones de estrés crónico de años de duración?

Probaré, como siempre, a hacer esta parte lo más amena posible, pero haz un pequeño esfuerzo en leer lo que viene ahora. Tener cierto conocimiento de tu cuerpo es crucial para que tomes conciencia de la importancia del cambio. Así que, cierra los ojos, coge aire y respira profundo, que nos adentramos en tu cuerpo, ya que todo de lo que voy a hablar no es ajeno a ti, sino que lo tienes dentro.

¡Se me ocurre una idea! Lo vamos a hacer diferente, voy a guiarte para que puedas observar tu propio sistema nervioso; quiero que lo observes dentro de ti. [2]

La autoobservación del sistema nervioso: práctica
Empezamos. Ponte en una postura firme y cómoda, sentado o tumbado, cierra los ojos despacio y respira. Respira lentamente y profundo dos o tres veces. Ve recogiendo tu pensamiento y tus

2. Encontrarás la técnica de autoobservación del sistema nervioso grabada para ti en <www.lasaludtumejortalento.com>.

sensaciones externas y dirige la atención solo hacia dentro de ti. Respira y observa durante unos instantes tu respiración: el entrar y el salir del aire. Observa (pausa de unos instantes).

Vamos a llevar ahora tu atención lentamente a tu cabeza, observa su forma, sus huesos y date cuenta de que debajo de esos huesos fuertes se encuentra tu cerebro, poderoso y complejo, fascinante y maravilloso, con una forma similar al interior de una nuez. De su parte posterior observa cómo nace una estructura alargada, poderosa y compleja que desciende por dentro de tu columna hasta tu coxis: la médula. Agradece a tu columna, que protege el mayor tesoro del reino, el sistema nervioso. Observa cómo de cada vértebra salen, por unos agujeros laterales, los nervios, nervios que desde la médula viajan para conectar todas las partes de tu cuerpo, desde lo más importante a lo más accesorio, convirtiendo tu cuerpo en un gran sistema conectado y vivo. Todas las partes de tu cuerpo están unidas por esta inmensa red nerviosa. ¡Qué fuerza tiene tu sistema nervioso! Ahora vamos a ir terminando esta técnica de observación. Respira profundamente un par de veces, disfruta de las respiraciones y despacio, muy despacio ve abriendo los ojos.

¿Cómo ha ido? Deseo que lo hayas disfrutado. Si es la primera vez, no te agobies, a veces uno no ve nada. Lo importante es que hayas cerrado los ojos y que tu atención haya empezado a ir hacia dentro. Ahora que eres más consciente de que de lo que vamos a hablar está dentro de ti, seguimos con la teoría.

La teoría del sistema nervioso autónomo: «relájate» o «ponte las pilas»

El sistema nervioso tiene una parte central, el cerebro y la médula, y una parte periférica, que son todos aquellos nervios que salen de la médula y llegan a todas las células del cuerpo. De esta manera, cualquier información que llega al cerebro es distribuida en cuestión de segundos al resto del cuerpo. El sistema nervioso es una gran red de comunicación interna.

Estas ramas del sistema periférico tienen raíces nerviosas motoras –que dan movimiento–, sensitivas –que recogen sensaciones e información para el cerebro– y raíces nerviosas autónomas o vegetativas del cuerpo. Estas últimas regulan las funciones vitales del cuerpo, como la respiración, el pulso cardiaco, el tono muscular, la actividad cerebral, los procesos digestivos, la micción, la sudoración, la erección y la eyaculación, etcétera.

Este sistema nervioso autónomo (SNA) solo puede llevar dos tipos de información al cuerpo: «relájate», mediante fibras del SNA parasimpático, o «ponte las pilas», mediante fibras del SNA simpático. Te lo cuento con más detalle.

NO MIEDO = ACTIVACIÓN DEL SNA PARASIMPÁTICO

Por un lado, si no hay sensación de peligro o de miedo, el cerebro libera endorfinas y acetilcolina, que llegan a todas las células de nuestro cuerpo. Estas sustancias lanzarán su mensaje susurrando: «Estate tranquilo, relájate, no hay peligro», y así quedan la mente relajada, la frecuencia cardiaca y respiratoria calmadas, las digestiones activadas, la temperatura corporal más fría y el tono muscular relajado. Todo el cuerpo se posiciona en modo «ahorro de energía».

MIEDO = ACTIVACIÓN DEL SNA SIMPÁTICO

Por otro lado, ante una situación que ponga en peligro nuestra vida, ya sea desde el plano biológico (un peligro físico real, la falta de comida, de bebida o de oxígeno) o desde el psicológico (sensación de miedo por motivos varios, sean reales o no), el cerebro reconoce este «peligro de vida» y activa la liberación de sustancias como la adrenalina, la noradrenalina o el cortisol, llamadas neurohormonas del estrés, que actúan como mensajeros de «¡Atención, peligro, cada uno a sus puestos, hemos de sobrevivir!». Vamos a ver qué sucede entonces...

La respuesta del estrés y el sistema nervioso

Al llegar estos mensajeros de «peligro» (la adrenalina, la noradrenalina y el cortisol) a cada una de las células de nuestro cuerpo, ellas saben qué tienen que hacer para que como sistema salgamos vivitos y coleando.

Por ejemplo: cruzas un semáforo en rojo hablando con el móvil, despistado, y viene una moto a toda pastilla, o estás cruzando de noche solo por un parque algo oscuro y oyes pasos detrás. ¿Sientes el peligro? ¿Tienes miedo? «¡Sí!». Vamos a ver cómo responderá nuestro cuerpo ante el miedo. Lo primero: liberar estas hormonas del estrés.

¿Qué hará el corazón para contribuir a salir de este peligro? Bombear más rápido, subir la frecuencia de su latido. ¿Y las células de los pulmones? Ventilar más rápido para oxigenar mejor. ¿Y nuestros pensamientos? Son tan veloces que ni te das cuenta de que ya has saltado a la acera antes de que te atropelle la moto, por ejemplo. El cerebro amplía sus conexiones, aumenta muchísimo nuestra actividad cerebral y es mucho más resolutivo.

Las pupilas se dilatan para que entre más luz y más información al cerebro y ¡nuestra boca se seca!

¿Por qué se seca nuestra boca cuando nos ponemos nerviosos? ¡Qué naturaleza más caprichosa! ¿Será para ahorrar agua? ¿Para ponérnoslo más difícil? No, nada de eso.

Hemos de saber que el cuerpo humano, como todo en la naturaleza, no gasta ni un ápice de energía en algo que no es imprescindible para sobrevivir. Dejamos de salivar porque la saliva sirve para empezar la digestión, y si me está persiguiendo una manada de mamuts, no voy a pararme a comer, ¿verdad?

Las células salivares dejan de fabricar saliva porque todo el sistema digestivo se paraliza; es una manera de ahorrar energía, ya que el proceso de la digestión es uno de los más costosos energéticamente hablando. ¿Entiendes ahora por qué te sienta mal la comida cuando comes estresado? Porque todo el aparato digestivo está en reposo y tú le estás metiendo comida a presión, embutiendo el alimento a la fuerza.

Algo similar ocurre con nuestra actividad sexual, esta se frena. En la mayoría de los casos no nos pararíamos a reproducirnos ante una manada de mamuts a punto de arrollarnos.

Esto nos hace pensar por qué en personas con altos niveles de estrés cada vez hay más problemas de fertilidad; «A pesar de que me han dicho que todo está bien en mí y en mi pareja, no consigo quedarme embarazada». Su sistema nervioso frena el sistema endocrino. Por el mismo motivo, pueden aparecer síndromes premenstruales intensos, disfunciones eréctiles o menopausias precoces.

Los músculos se tensan ante la situación de peligro para sacarnos corriendo del peligro o luchar y defendernos. El metabolismo celular se activa para darnos energía interna, y eso hace subir la temperatura corporal, y para que nuestro cerebro no se achicharre, ¡empezamos a sudar cuando estamos nerviosos!

Dado que hasta ahora cuando había un peligro real era casi siempre físico y estábamos corriendo o luchando y, lógicamente, no nos parábamos a comer, el hígado y el músculo eran –y son– los encargados de liberar glucosa a la sangre para que nunca le falten a los órganos vitales: cerebro, músculos, corazón o placenta, si la mujer está embarazada.

Este último punto es muy interesante para comprender por qué el estrés nos hace engordar, dormir peor, despertarnos de madrugada como un reloj siempre a la misma hora o también por qué cuando hago una dieta muy restrictiva pierdo peso muy rápidamente, pero recupero el doble de kilos que perdí: ¡ese efecto yoyó tan frustrante!

Todo lo visto hasta ahora nos habla de la respuesta que cada una de las partes de nuestro cuerpo da para poder salvar a todo el sistema.

Hasta aquí, estoy casi segura de que todo esto ya lo conocías. Ahora puedes comprender por qué cuando esa situación de alerta se prolonga en el tiempo pueden aparecer síntomas resultado de esta respuesta prolongada: «Mi cabeza va a mil por hora y no puedo callarla, me sudan mucho las manos, tengo taquicardias, alguna arritmia, me siento mareado últimamente, las digestiones me resultan muy pesadas, ciertos alimentos ya no me sientan bien, estoy muy inquieto, me cuesta dormir bien, tengo estreñimiento o, a veces, diarreas explosivas, me cuesta quedarme embarazada, tengo un montón de contracturas cervicales, me duele la cabeza con mucha frecuencia, etcétera.

Pero con lo que sabemos hasta ahora no podemos responder a preguntas tales como: «¿Por qué cuando estoy estresado me pongo malo el fin de semana y el lunes estoy perfecto para ir a trabajar? ¿Por qué en menos de tres meses he tenido varios episodios de amigdalitis que a pesar de los antibióticos se repiten? ¿Por qué tengo alteraciones en mis reglas? ¿Por qué me suben los niveles de colesterol, azúcar o las cifras de tensión arterial?».

Hemos de saber que el sistema nervioso forma una unidad junto con el sistema endocrino y el sistema inmune. Conocer su intervención en la respuesta del estrés nos ampliará la visión de campo y la capacidad de autoconocernos. Si estás cansado, hacemos un pequeño descanso y seguimos. Te espero.

El «segundo mosquetero» del sistema PNI: el sistema endocrino

Si te apetece, podemos empezar a conocer tu sistema endocrino mediante otra técnica de autoobservación para que veas también que está dentro de ti, que no es algo teórico que únicamente sale en los libros de medicina.[3]

La autoobservación del sistema endocrino: práctica

Con los ojos cerrados, con tu respiración libre y tranquila, ve recogiendo tus sentidos hacia dentro: el oído, el gusto, el tacto… Deja el ruido externo y dirige toda tu atención dentro de ti. Céntrate en sentir el baile de tu respiración, entrando y saliendo, despacio, calmado (pausa de observación de la respiración). Ahora, con tu cuerpo relajado y tu mente tranquila, vamos a llevar la atención de nuevo a tu cara y a tu cabeza; observa tu cabeza, tus huesos firmes y, dentro, observa una estructura poderosa y magnífica: tu cerebro. Si prestas atención, serás capaz de observar, en el centro, tres grupos de neuronas que forman tres glándulas endocrinas: el hipotálamo, «el director de este sistema», la hipófisis, «la CEO del sistema», y la pineal, «la reguladora del sueño y de la vigilia». Si vas descendiendo por la línea media de tu cuerpo, detén tu atención en tu cuello; puedes observar sobre la nuez la glándula tiroides: nos da energía y crecimiento, entre otras acciones. A su lado, las glándulas paratiroides, reguladoras del calcio y del fós-

3. Encontrarás la técnica de autoobservación del sistema endocrino grabada para ti en <www.lasaludtumejortalento.com>.

foro. Si seguimos bajando por esa línea media hacia el estómago, nos encontramos detrás de él el páncreas, el órgano regulador de la glucosa en sangre, productor de insulina y de glucagón. Un poco más abajo, sobre los riñones, las glándulas suprarrenales que liberan las hormonas del estrés cuando nos hace falta, y, por último, en nuestra pelvis encontramos los ovarios o los testículos, que regulan nuestros caracteres sexuales secundarios. Respira profundamente y echa un vistazo general a todo tu sistema endocrino, desde el cerebro hasta la pelvis. Haz un par de respiraciones profundas y muy despacio, sin prisa, puedes ir abriendo los ojos.

Deseo que hayas podido dirigir tu atención plenamente a la observación de tu sistema endocrino; como te decía anteriormente, no es fácil, pero con cada ejercicio vas potenciando que la figura de tu observador interno se haga más y más presente. ¡Sigue practicando, cada vez será más fácil estar hacia dentro!

La respuesta del estrés y el sistema endocrino

Ahora que ya conoces mejor tu sistema endocrino, veamos qué sucede cuando esa sensación de miedo viaja desde nuestro cerebro por nuestro SNA simpático y llegan esos mensajeros de «peligro» a nuestras glándulas endocrinas. ¿Cómo responderán a la llamada de supervivencia?

Ante la llegada de estas sustancias, el tiroides «se pone las pilas» y libera grandes cantidades de tirosina, que aceleran el metabolismo para proporcionarnos energía, y, a su vez, regula la temperatura para que nuestro cerebro no se caliente en exceso. Por eso, cuando estamos en alerta, sentimos un «subidón de energía» y calor, que nos hace sudar más.

El páncreas tiene un papel importante en la redistribución de la energía. Si estamos en peligro no vamos a comer; por ello, el páncreas libera glucagón, que, al igual que el resto de las hormonas del estrés, saca glucosa del músculo y del hígado para que llegue a la sangre, manteniendo buenos niveles de glucosa en sangre mientras dure el peligro. Podemos comprender ahora lo importante que es regular externamente la entrada de energía de forma óptima y ordenada como uno de los recursos para reducir la activación de toda esta cascada del estrés por una llamada de hambre no respondida. Si tengo hambre, significa que hay una hipoglucemia, y si no respondo comiendo, el cuerpo lo vive como un peligro de vida y se activa toda esta cascada que he descrito. ¿Ya eres consciente de la energía que podemos ahorrar si gestionamos bien nuestra alimentación?

Seguimos. Es muy frecuente que cuando la respuesta de estrés se alarga mucho tiempo, estos órganos responsables de darnos energía empiecen a fracasar y nos sintamos realmente agotados y exhaustos.

El tiroides es una de las glándulas que con más frecuencia se altera en las situaciones de estrés crónico. Es frecuente que se diagnostique un hipertiroidismo al principio, o sea, «¡Tiroides, trabaja continuamente! Dame mucha energía, que tengo muchas demandas externas que cubrir!». Y yo no lo ayudo lo más mínimo, porque cuanto más estrés tengo, peor como y peor duermo, así que no llega energía externa y él tiene que hacer todo el trabajo solo.

Con el tiempo, el tiroides ya agotado empieza a fracasar. Si no se hace prevención y promoción ni se pone remedio para mejorar la calidad del balance energético a través de la comida, del sueño y de la relajación, inevitablemente se produce un hipotiroidismo.

El «tercer mosquetero» del sistema PNI: el sistema inmune

Y, por último, quiero presentarte al sistema inmune, el último de esta tríada. Recientes investigaciones han demostrado el papel crucial que tiene este sistema en la respuesta del estrés y tal vez ahora, después de leer las siguientes líneas, puedas comprender a qué se debe el «síndrome del *weekend*» (en el que te pones malo el fin de semana y el lunes estás fenomenal para ir a trabajar) o esas -*itis* de repetición que no terminas de curar (tendinitis, amigdalitis, cistitis, dermatitis…).

La teoría del sistema inmune

Conozcámoslo primero un poco. ¿Para qué sirve el sistema inmune? ¿Qué función tiene en nuestro cuerpo? ¿Qué sabes de él? Conforme se va profundizando en su conocimiento, se sabe que su complejidad y su funcionamiento alcanzan la del sistema nervioso, así que te daré alguna pincelada.

El sistema inmune está formado por ganglios, vasos, órganos linfoides y células, como los glóbulos blancos o linfocitos, y los macrófagos, por ejemplo. Estoy segura de que te suenan o de que, por lo menos, los viste alguna vez en aquella serie de dibujos que ponían en la televisión, *Érase una vez el cuerpo humano*. Proponer una técnica de visualización por escrito es algo más compleja en este caso, así que tendrás que hacer un acto de fe y creerme cuando te digo que el sistema inmune también está dentro de ti.

Pues bien, este sistema tiene la función de defendernos de aquello que puede matarnos: un virus, una bacteria o una célula cancerígena. La manera de hacerlo, a grandes rasgos, es generando una inflamación que aísla «al sujeto».

La respuesta del estrés y el sistema inmune

Cuando al sistema inmune le llega la información de que estamos en peligro, ya sea físico-real o miedo-mental, este se activa y sus células, como los linfocitos o los macrófagos, viajan a la periferia para colocarse debajo de la piel. Recuerda que hasta hace poco el peligro era casi siempre físico; por eso se colocan debajo de la piel, porque si hubiese alguna herida en esa «lucha-huida», nos defenderían rápidamente de los invasores microscópicos externos, y lo harían como saben: generando una inflamación de bajo grado.

Esta inflamación libera sustancias que generan cambios en nuestras células con el fin de redistribuir correctamente la energía, regular el dolor, etcétera. Diferentes investigaciones apuntan a ciertas hipótesis que podrían implicar estos cambios, vitales para sobrevivir en una respuesta aguda, como el origen de la mayoría de las enfermedades del siglo XXI, al quedar esta respuesta cronificada en el tiempo.

Te lo explico paso a paso, porque es complejo pero realmente interesante.

Necesito llevarte un momento al instante en el que recordamos cómo era una célula. ¿Recuerdas que hablamos de que las células tienen una membrana que las limita, que es impermeable y que se relaciona con el exterior mediante receptores? Necesito explicarte el funcionamiento de un receptor celular para que entiendas lo que viene después. Tomemos como ejemplo el receptor de la insulina. La insulina, como ya sabes, es la hormona que coge la glucosa de la sangre cuando hay una entrada importante y la transporta al interior de las células.

Para saber cómo actúa, podríamos imaginarnos que la insulina es como una pequeña llave y que el receptor que está en la célula es como una cerradura. Cuando la insulina-llave entra en el receptor-cerradura, se abre la puerta y la glucosa que viaja unida a la insulina pasa dentro de la célula, donde puede usarse como fuente de energía.

Existen otros complejos sustancia-receptor:

El cortisol, al unirse a su receptor, «apaga la inflamación» (piensa en qué te da el dermatólogo cuando vas a verlo por una dermatitis en la cara: una crema de corticoides que te bajen la inflamación).

La leptina, al unirse a su receptor, informa a nuestro cerebro de que «ya nos hemos saciado».

Y la serotonina, al unirse al receptor de las células, lleva muchas informaciones, como el estado de ánimo, el hambre, la tensión muscular, la activación de la digestión o el dolor.

Bien, pues volviendo a la respuesta del estrés, cuando estamos en peligro, el sistema inmune libera sustancias que bloquean los receptores de la mayoría de las células del cuerpo, salvo las de los órganos vitales como el cerebro o los músculos que nos han de sacar del peligro. Sería algo similar a lo que ocurre en los parquímetros de la calle en el mes de agosto: ponen esa chapa metálica y ya no puedes pagar. El receptor queda sellado y la insulina, el cortisol o las demás sustancias no pueden unirse a su receptor.

Así, la glucosa no puede entrar en la mayoría de las células porque al estar **bloqueado el receptor de la insulina,** esta no puede unirse y por tanto, la glucosa no puede entrar y sigue viajando por la sangre. Así, al cerebro, al músculo, al corazón o a la placenta jamás les faltará glucosa mientras estemos en peligro. Esta resistencia en el receptor de la insulina es un mecanismo de supervivencia que ayuda a redistribuir la energía que tengo dentro del cuerpo. Esta situación es positiva durante un tiempo corto, pero ¿qué le ocurre a una persona cuando la insulina no puede unirse a su receptor y llevar la glucosa a sus células, por ejemplo?

¡Eso es, se hace diabético! Y experimenta todo lo que tiene que ver con el riesgo cardiovascular por la resistencia insulínica: empiezan a subir los niveles de tensión arterial, de azúcar en sangre, de colesterol o de ácido úrico.

El **bloqueo en el receptor de la serotonina** podría tener relación con el dolor. Cuando tú te haces una herida mientras estás cortando jamón, ¿te duele inmediatamente o tarda un poco en hacerte daño? El bloqueo en el receptor de la serotonina en el estrés agudo ayuda a que, al no sentir gran dolor inicialmente, tengas más opciones de sobrevivir, que puedas tapar la herida, buscar cobijo; si te doliera mucho desde el inicio, podrías desmayarte de dolor y la supervivencia ahí sería menor, ¿no crees? ¿Podría tener esto relación con que cada vez con más frecuencia el estrés crónico y el bloqueo de este receptor se asocian a trastornos del ánimo como la depresión o la ansiedad? ¿Y con que haya un porcentaje cada vez superior de diagnósticos de fibromialgias o fatigas crónicas?

El **bloqueo en el receptor de la leptina** parece tener relación con la voracidad que aparece después del estrés. ¿Cómo llegas a la hora de la cena después de una jornada dura de trabajo? Habitualmente con voracidad. ¡No nos sentimos saciados con nada y atracamos la nevera al llegar a casa! Si como, como y como, y nunca me siento saciado, es fácil que engorde, engorde y engorde, ¿sí?

Y, por último, **se bloquea el receptor del cortisol,** que es quien empieza en el fondo toda esta cascada de respuestas. Al bloquearse el receptor del cortisol, este no puede unirse y no puede «apagar la inflamación». Podría tener relación con la inflamación crónica de bajo grado que se asocia al estrés prolongado.

¿Podría esto explicar las *-itis* de repetición? «En menos de tres meses he tenido tres episodios de amigdalitis y a pesar del antibiótico vuelve la inflamación», «Para una vez que voy a jugar al tenis, me hago una tendinitis en el codo y llevo así seis meses, y no responde a antiinflamatorios ni a las sesiones con el fisio ni a infiltraciones» o «Ya ha vuelto el orzuelo en mi ojo o el herpes en el labio, ¡cada vez que estoy con estrés reaparece!».

Resumiendo: ante una situación de peligro, el sistema inmune nos defiende como sabe: inflamando, redistribuyendo la energía, apaciguando el dolor o regulando el hambre a través de pequeños bloqueos en nuestros receptores celulares.

El problema viene cuando usamos esta respuesta de alerta de manera prolongada y ya no nos ayuda a sobrevivir, sino que aparecen síntomas o enfermedades, como hemos visto: *-itis* de repetición, desordenes anímicos, voracidad y obesidad, hipertensión, diabetes o niveles altos de colesterol, entre otros.

Pero, además, un sistema inmune en alerta durante mucho tiempo termina agotándose. ¿Te ha ocurrido alguna vez que después de un pico de estrés te pones malo el viernes y el lunes estás fenomenal para ir a trabajar? ¿Y en la primera semana de vacaciones… un lumbago, una fiebre, un gripazo o similar?, ¡y a dormir!

¡Qué sabio es nuestro cuerpo! El estrés mantiene nuestro sistema inmune en alerta; la única manera de reposar y de reponerse es dormir. Recuerda que el sistema inmune se repara cerca de un 70 % mientras dormimos; por eso, después de descansar, el lunes estás perfecto para ir a trabajar. Es el llamado «síndrome del *weekend*». Muy típico en el estrés.

Un estado de hiperexcitación crónica del sistema inmune, durante años y años, lleva a que termine perdiendo su finura en su función y esto puede traducirse en más infecciones, más alergias, enfermedades autoinmunes o el desarrollo de procesos cancerígenos. Ya no sabe distinguir lo que es propio de lo que no, «me defiendo de mí mismo o dejo pasar por alto células tóxicas para mí».

El estrés: una respuesta integrativa, evolutiva y de supervivencia

Resumiendo, la respuesta del estrés es un mecanismo de supervivencia complejo en el que intervienen los tres sistemas responsables de mantener nuestro cuerpo vivo.

La sensación de miedo-mental o de miedo-peligro real en nuestro cerebro despierta toda la cascada de respuestas que hemos visto en los tres sistemas para «sacarnos del peligro»:

- El sistema nervioso autónomo, mediante las fibras simpáticas, pone todo el cuerpo en esa **respuesta de lucha-huida**: se tensan los músculos, el corazón y la respiración se aceleran, la mente se acelera, el proceso digestivo y de reproducción se frenan y el músculo y el hígado se encargan de sustentarnos energéticamente, llevando glucosa a la sangre.
- El sistema endocrino responde proporcionando básicamente **energía**, el tiroides, acelerando el metabolismo y el páncreas, liberando glucagón, que lleva glucosa a la sangre.

- El sistema inmune se activa y nos defiende generando una **inflamación de bajo grado y unas resistencias celulares** que tienen como finalidad redistribuir la energía y regular el dolor o el hambre.

Es una respuesta compleja y sabia, fruto de millones de años de evolución; el único problema que existe en la actualidad es que tendemos a cronificar esta respuesta, porque lo que la estimula ya no es un peligro físico real, sino esa sensación de miedo, incertidumbre o de inseguridad que responde a otros estímulos, no biológicos, sino más bien psicológicos.

Esta respuesta prolongada en el tiempo es la responsable de que aparezcan desde síntomas de «¡ojo, estamos estresados!», como irritabilidad, insomnio, digestiones pesadas, contracturas musculares, cansancio, acné, problemas menstruales, síndrome del *weekend* o -*itis* de repetición, a enfermedades o disfunciones crónicas, como diabetes, hipertensión, obesidad o cáncer.

Una posible solución al estrés: ¿activamos nuestro sistema parasimpático?

¡Madre mía! ¿Y qué podemos hacer para gestionar esta respuesta del estrés? Si te fijas, en las primeras páginas de este capítulo podemos encontrar una fórmula. Hemos visto que el sistema nervioso es autónomo:

- Se enciende («ponte las pilas») si hay peligro: SNA simpático-estrés.
- Se apaga («relájate») si no hay peligro: SNA parasimpático-ahorro de energía o relax.

No hay un punto intermedio: o estás en alerta o estás relajado. Así que si somos capaces de autoobservarnos y de darnos cuenta de que estamos en «alerta», y de que no hay ninguna necesidad, podemos apagar esa respuesta y activar nuestra vía parasimpática por diferentes vías:

- Nivel 1: mente-emoción. Haciendo un trabajo de autoconocimiento sobre tu relación con el miedo para potenciar un buen estado de presencia, templanza y seguridad en tu vida. Yo diría que es un camino de aprendizaje de vida, precioso e imprescindible para la promoción y la prevención de enfermedades en el siglo xxi. Es obvia la relación entre el manejo no óptimo de las emociones con la respuesta del estrés.
- Nivel 2: biología. Como mente y cuerpo están unidos, podemos empezar por cuidar lo biológico; es más simple e inmediato, ¿no crees? Energía estable y relajación son las claves. ¿Lo vemos en el siguiente capítulo?

13.
Guía práctica para vivir en una nueva era sin mamuts

Para poder «caminar hacia la salud en el siglo XXI» es imprescindible, como ves, cambiar el paradigma o la visión que tenemos de nosotros mismos, de la salud y de la enfermedad.

Uno de los grandes problemas de la no-salud es la tendencia a cronificar una respuesta que de forma natural nos ha ayudado, y nos sigue ayudando, a estar vivos: el estrés. Pero si queremos gestionarlo verdaderamente, no nos sirve solo con aprender técnicas de relajación o ir a nadar dos veces por semana.

Si quieres realmente promocionar tu salud y hacer una labor proactiva y preventiva de las grandes enfermedades del siglo XXI, es necesario que lo abordes como el ser integral que eres. Alza tu mirada por encima de tu cuerpo biológico, de tu pensar y de tu sentir, y desde tu observador, transforma y reinventa tu mundo interno. Eso hará que vivas la realidad externa de una manera completamente diferente. Sé tú el dueño de lo que ocurre en ti.

Te propongo un plan de acción de «cómo vivir en una nueva era sin mamuts» que conquista un estado de bienestar y de relax superior, en lo biológico y en lo sutil. Aquí tienes los cinco cambios que te propongo:

1. Autoobservación.
2. Energía óptima y sostenible: cama y cocina.
3. Relajación y descanso consciente.
4. Actividad física.
5. Autoconocimiento y búsqueda de tu héroe interior.

Cualquiera de estas acciones contribuye a un estado nervioso parasimpático, consiguiendo una mente centrada, un cuerpo relajado, en estado de ahorro de energía y en una actitud de no inflamación, unas emociones más templadas y un mayor estado de presencia en tu día a día.

La auto-observación: la mirada hacia dentro

Resulta obvio que vivimos en un mundo donde estamos siendo continuamente bombardeados con estímulos externos, muchos de ellos nos estresan y algunos de ellos los tenemos tan normalizados que no nos damos ni cuenta de ello. Pero lo peor, lo que más nos debilita, es el vivir siempre con la mirada hacia fuera.

Si observamos los procesos de la naturaleza, los ciclos lunares, la Tierra y las cuatro estaciones del año, el universo…

todo está en continuo movimiento de expansión y contracción, «hacia fuera-me expongo y hacia dentro-me recojo». ¡Observemos nuestra propia respiración! ¿Qué ocurriría si estuviésemos en constante espiración? Ya lo hemos comentado antes, ¡nos ahogaríamos!

Con el ruido del día a día hemos olvidado este vaivén en nosotros y no dejamos que ese ritmo natural, de exposición y de recogimiento, suceda.

Esta negación de un espacio interior que necesita su escucha y su observación nos debilita porque nos aleja cada vez más de nuestro centro, de nuestro estado de presencia, y el sentimiento de miedo, de inseguridad o de vacío interno va ganando terreno y gobernando nuestros días. Estos espacios de silencio con uno mismo son importantes, pues nos dan herramientas que nos permiten estar más presentes en la vida.

Porque ¿cuánto tiempo pasas de tu vida en piloto automático? Acaso no has salido de la ducha algún día y no recuerdas si te enjabonaste el pelo o no, y seguro que has llegado alguna vez a la oficina diciendo: «¡Anda, pero si he venido conduciendo y no sé ni por dónde he pasado!».

Necesitamos activar conscientemente esa presencia interna en el día a día para poder empezar a hacer cambios. El primer paso para gestionar el estrés moderno es potenciar la figura del observador, de aquel que se da cuenta y puede cambiar las cosas.

«Cuanto más ruido hay fuera,
más silencio has de buscar dentro de ti».

Es ese observador interno el que al darse cuenta podrá ayudarte a obtener ese silencio que precisas en tiempos de más estrés, silencio que se traduce en cuidar más lo que comes, respirar conscientemente en determinados momentos del día para relajarte, centrar tu pensamiento o calmar tus emociones, buscar un espacio de silencio al final del día donde puedas reconectarte de nuevo a ti mismo, practicar deporte o caminar a paso ligero. Todo aquello que potencie tu salud biológica.

Por otro lado, es capaz de observar aquellos pensamientos o emociones incómodas y tóxicas para ti y, en consecuencia, para el entorno. Un ejemplo: «Me pone de los nervios que solo piense en ella». Puede ser un comentario de una pareja o de unos compañeros de trabajo. ¿Qué es lo que realmente le pone de los nervios? ¿No será que es incapaz de pensar alguna vez en él mismo, aunque eso le suponga quedar mal con los demás, no ser perfecto o dar una respuesta fuera de lugar?

La mayoría de las veces estas emociones tóxicas son las que generan mucho estrés y conflicto. Te invito a que cuando surja cualquier emoción incómoda en ti –del tipo ira, enfado, envidia, celos–, seas consciente de que habla de una necesidad interna no cubierta en ti, no en el otro. Haz la prueba, obsérvalo en ti, sé consciente de esa necesidad interna y dale salida, concédete la oportunidad de ser egoísta alguna vez o no ser perfecto siempre o ser menos exigente contigo mismo en relación con el deber.

Como te digo, la clave para vivir en esta sociedad sin mamuts es saber manejarse desde la conciencia y la presencia, especialmente en el mundo de las emociones, en concreto, de la emoción que activa la respuesta del estrés: el miedo.

¡Despierta! Tú puedes hacer que tu vida tenga menos estrés, y puedes hacerlo –como te digo– tan solo empezando a actuar en el mundo en el que tienes verdaderamente poder: tu mundo interno.

Energía óptima y sostenible: cama y cocina

En un mundo donde las demandas internas y externas son tan altas precisamos potenciar nuestros niveles de energía como uno de los recursos internos más poderosos que tenemos.

¿Qué es lo que nos estresa muchas veces? No llegar a las demandas, ya sean internas –porque tengo una personalidad muy perfeccionista, exigente, controladora o miedosa–, o externas, como, por ejemplo, hacer el trabajo de dos personas en media jornada.

Por lógica, cuando las demandas superan nuestros recursos internos, nos estresamos y eso nos pone en un estado nervioso de tensión-alerta, nos hace gastar mucha energía interna y termina por inflamarnos, oxidarnos y envejecernos prematuramente, como vimos en el capítulo anterior. Y eso no nos interesa.

Por ello, es una condición vital, si queremos vivir sanos nuestras vidas del siglo XXI, que nos ocupemos conscientemente en avivar nuestra homeostasis energética, es decir, que potenciemos nuestro principal recurso interno: la energía.

Como ya sabes, la homeostasis o equilibrio energético de nuestro cuerpo biológico viene dada por una alimentación óptima y un sueño eficiente. Cama y cocina son dos aspectos que hemos tratado en profundidad en estas páginas. Te invito a poner en práctica todo lo que ya conoces de los planes de acción de nutrición, «Que no se te acaben las pilas», y de un sueño óptimo, «Prepara tu madriguera».

Consigue unos niveles de energía estables durante tu tiempo de actividad mediante una alimentación ordenada, rítmica, de calidad alta y de cantidad óptima; te ayudarán a reducir tu respuesta de alerta, manteniéndote en un estado nervioso parasimpático o de ahorro energético un mayor tiempo.

Por otro lado, si comes de manera óptima, ayudas a ordenar el ritmo del sueño, así como a mejorar la profundidad del sueño, y la noche es más reparadora y energizante. ¿Recuerdas que la hormona que traslada la energía a las células, la IGF-1, se fabrica en las fases 3 y 4 del sueño no-REM? ¿Sabías que el 70 % de nuestro tiempo de sueño nuestro sistema nervioso autónomo se halla en un estado parasimpático, de renovación y de ahorro de energía?

Es fundamental poner orden y ritmo en la cama y en la cocina para alcanzar unos niveles energéticos óptimos que te ayuden a afrontar tu día a día sin estrés. ¡Anímate a poner en marcha los planes que ya conoces!

Relajación y descanso consciente

Otra de las líneas de actuación que te invito a explorar, para activar tu sistema nervioso parasimpático durante el día, es la práctica diaria de técnicas de respiración, de relajación, de *mindfulness*, de sofrología o de meditación que vayan entrenando tu cuerpo en el arte de relajarse en cualquier circunstancia y a tu mente en el arte de concentrarse, de no vivir dispersa permanentemente.

Existen múltiples prácticas como las que te nombro y te animo a que busques y experimentes para conocer la que mejor pueda acompañarte.

Te adelanto que la respiración es la base en todas ellas; es una práctica sencilla y con un gran poder parasimpático. Una buena respiración abdominal o diafragmática tiene un efecto directo en la estimulación del nervio vago, aquel que recorre todo nuestro cuerpo desde el cerebro a todas las células. Así que, cuando lo estimulamos respirando conscientemente, todo nuestro cuerpo entra en segundos en un estado parasimpático. ¡Haz la prueba!

Empieza por algo sencillo: busca, por ejemplo, una técnica guiada de una respiración abdominal o de una relajación básica y adquiere el hábito de ponerte todos los días quince o veinte minutos en un espacio tranquilo y practica. Un buen momento para introducir este hábito es justo antes de dormir. Conforme vayas entrenando te será más fácil rescatar ese estado parasimpático en el ruido del día a día con la simple respiración.

¿Quieres saber una cosa que te hará verlo más fácil? Con el mero hecho de cerrar los ojos, el cuerpo ya empieza a soltarse y a liberar endorfinas… ¡Obsérvate! ¿Qué es lo primero que sueles hacer de forma sabia cuando te duele mucho la cabeza? Cerrar los ojos. La oscuridad y la respiración profunda –recuerda– nos llevan a la activación del sistema parasimpático, a la liberación de endorfinas, al placer frente al dolor, y al sueño reparador. La luz intensa nos saca a un estado totalmente contrario.

Volviendo a las técnicas, el entrenamiento diario es la clave en este caso. ¿Verdad que cuando quieres participar en una carrera entrenas para coger tono, fuerza, fondo y resistencia? Lo mismo ocurre con tu cuerpo: si entrenas a diario cómo entrar en un estado de relax y de concentración a través de la respiración, lo conseguirás cada vez con más facilidad y en cualquier circunstancia. ¡Pruébalo!

Actividad física

El ser humano está diseñado para el movimiento. La práctica de una actividad física diaria es crucial, como ya vimos, para un sueño profundo y reparador, para tonificar nuestro cuerpo y prevenir la obesidad inflamatoria y, además, nos ayuda a liberar las tensiones acumuladas en el día a día.

Como vimos en el capítulo «Prepara tu madriguera», recuerda que lo importante es tener energía para hacer ese deporte o esa actividad física, para no activar en exceso nuestra liberación de adrenalina y cortisol. El deporte realizado en el momento óptimo es un potente liberador de endorfinas.

Si la única hora en la que puedes hacer deporte es la tarde-noche, recuerda manejar bien los niveles de energía a lo largo del día y practicar estiramientos y una buena técnica de relajación después del ejercicio para desactivar el posible exceso de adrenalina liberado.

Autoconocimiento y búsqueda de tu héroe o heroína interior

Hemos visto hasta ahora la importancia de rescatar a tu observador interno como el guía que dirigirá los cambios precisos para potenciar un estado parasimpático a través de la alimentación óptima y ordenada, la conquista de un sueño de calidad, la respiración o la relajación consciente y la actividad física. Cuidar nuestra base biológica es un punto de partida importante, pero si queremos vivir con salud en esta nueva era sin mamuts, hemos de ocuparnos también de gestionar ese segundo nivel o esfera mental-emocional del ser humano que hoy en día, bajo mi mirada, es la que más activa el estrés.

Iniciar un camino de autoconocimiento en nuestra relación con el miedo es un paso más crucial en esta nueva era. Observa que muchas de las situaciones que nos estresan en el día a día surgen por ese miedo inicial al abandono o a estar solo, que nos lleva a actuar o a comportarnos de una manera condicionada por lo externo, alejándonos de nuestra verdadera esencia. Te pongo algunos ejemplos, a ver si te suenan:

- «Me estresa tomar decisiones, yo prefiero que lo hagan los demás» = relaciones dependientes por miedo a equivocarme y que se enfaden conmigo, que no acepten mis decisiones y me quede solo.
- «Me supera el enfrentarme a conflictos, yo me callo y trago con lo que sea» = relaciones dependientes por miedo al enfrentamiento y a que me quede solo.
- «No puedo más con tantas cosas, pero no sé decir que no» = relaciones dependientes por miedo a ser egoísta y que no me quieran, y que me quede solo.

¿Y qué ocurre en estos casos en los que nos vamos «vendiendo por no estar solos»? Nos vamos alejando cada vez más de nosotros mismos, olvidándonos de nosotros, y, con el tiempo, ¿nos sentimos plenos y radiantes de energía vital o nos desvitalizamos? ¿Nos sentimos fuertes y empoderados o cada vez más miedosos y dependientes? Así es: el miedo nos hace actuar cada vez más desde el personaje que «quiere agradar, formar parte de un grupo, o bien ser único, perfecto, divertido, servicial o exitoso» en el fondo, para no quedarnos solos.

Esta relación con uno mismo basada en el miedo es muchas veces un proceso inconsciente que necesitamos iluminar y sacar a la luz para resolverlo e ir, poco a poco, transformando ese miedo al abandono en un amor profundo hacia uno mismo: si ya me tengo a mí mismo, no tengo la necesidad de «venderme» por estar con el otro. Este es el camino de búsqueda interior para encontrar a tu héroe o heroína interno, ese ser que llegó a esta vida sin miedo y que todavía está viviendo en lo más profundo de ti esperando a que le des alas para salir a vivir la vida desde el no miedo, desde la libertad y el amor que tú eres.

Plan de acción «gestión del estrés»	
Acciones en el plano biológico	1) Autoobservación: «Me doy cuenta».
	2) Plan de nutrición óptimo para mantener un nivel de energía de calidad de manera sostenible. Ver «Que no se te acaben las pilas».
	3) Plan de sueño de calidad: cuida ese tiempo de reparación y recuperación. Ver «Prepara tu madriguera».
	4) Plan de actividad física: el deporte que respeta los horarios de las comidas y que se ajusta en esfuerzo a tu edad y preparación, aporta energía y libera endorfinas.
	5) Plan de relajación y respiración consciente.
Acciones en el plano psicológico	6) Plan de autoconocimiento y de gestión emocional.
Cuida de tu sistema nervioso y él cuidará de ti.	

14.
Cuando disminuye la gordura, aumenta la salud

El desconocimiento de nuestro cuerpo y el estrés actual no son nuestros únicos enemigos. La obesidad, como ya sabes, es la gran pandemia del siglo XXI. Los números sobre obesidad y sobrepeso siguen creciendo de manera alarmante, tanto en niños como en adultos, especialmente la obesidad abdominal relacionada con un mayor riesgo de enfermedades cardiovasculares, alzhéimer o cáncer.

Cuánta labor preventiva y de promoción de salud podemos llegar a hacer si nos ocupamos cada uno de nosotros de cuidar de que nuestro peso sea óptimo, ¿no crees?

Se podrían escribir páginas y páginas sobre los motivos por los que estamos engordando cada vez más como sociedad y como individuos. Recuerda que somos una unidad biológica-psicológica y espiritual; por ello, si estamos engordando, hemos de analizar qué está ocurriendo en cada una de esas esferas que nos hace retener y acumular. A menudo enfocamos la obesidad como algo meramente físico y por eso, a veces, las dietas y el ejercicio pueden no ser la solución, puede ocurrir que el conflicto realmente esté en la esfera emocional o existencial de la persona y, en ese caso, el enfoque terapéutico puede ser algo más que una dieta y un gimnasio. ¿No opinas lo mismo?

Una historia real

Me viene a la cabeza, a raíz de esto, la historia de una paciente que tuve hace mucho tiempo.

Era una mujer de unos treinta y cinco años que vino a la consulta para que le pusiera una dieta para bajar peso. Según ella, había engordado en el embarazo de su hija de cuatro años y desde entonces no conseguía recuperar su peso previo, a pesar de haber hecho ya alguna dieta restrictiva.

Hicimos un «estudio de campo» observando y describiendo sus rutinas y ritmos biológicos. Era muy desordenada en las horas de la comida y dormía muy mal porque su hija, con cuatro años, estaba cada dos por tres en el hospital por la noche por «ahogo».

Emocionalmente, la paciente se sentía mal desde el nacimiento de su hija porque su relación de pareja se había resentido mucho. Ella había decidido quedarse embarazada a pesar de que él todavía no lo deseaba. Esto los había alejado; él se sentía furioso y «la castigaba» no haciendo apenas vida familiar. En tal situación, se sentía muy abandonada y ahogada en una realidad familiar y de pareja en la que no veía salida. Esta tensión en la casa generaba mucho estrés a la pareja y a la niña. En este contexto era lógico que ninguna «dieta» funcionase, ya que para que lo físico sanase en ella, antes debía estar sanado lo emocional y lo existencial en ella.

Para su sorpresa no le puse ninguna dieta en esa primera visita; únicamente le indiqué comer cinco veces al día, y nos pusimos a trabajar sobre su relación de pareja. En ese primer mes, dieron pequeños pasos que construyeron una pareja cada vez menos destructiva y estresante, el «ahogo» de la niña por la noche se fue reduciendo, ella empezó a dormir algo mejor y al tener menos ansiedad por comer durante el día, bajó medio kilo de peso en ese tiempo, sin ninguna medida terapéutica directa para ello.

El segundo mes fue duro porque en ese trabajo de pareja se planteó la separación como la oportunidad de tener cada uno la vida que realmente quería tener: ella, con una familia, y él solo con una pareja. En este punto, ella se sintió muy liberada con el simple hecho de poder tener la libertad y el no miedo de plantearse una crianza en soledad de su hija. Ese mes perdió un kilo y medio.

Finalmente, la relación de pareja no se rompió; decidieron apostar por un nuevo modelo familiar llegando a unos acuerdos de convivencia aptos y sanos para los dos. La niña dejó de ir a urgencias por la noche y ella siguió bajando peso. Ya no hubo más visitas.

Te cuento esta historia como podría contarte otras muchas para que comprendas que si nos empecinamos en bajar peso cuidando solo una parte de nosotros, ¿podría ser un motivo de que tantas dietas e inscripciones en gimnasios fracasen?

Recuerda que eres un ser holístico, una unión física y sutil, y lo que se expresa en el campo físico tiene una relación íntima con lo que te ocurre en tu campo emocional-mental o en el sentir de tu vida.

En el caso de mi paciente, no fue necesario poner una dieta; piensa que de habérsela indicado habría sido más contraproducente porque le habría generado aún más ansiedad. Ante su desorden interno y externo, solo precisaba recuperar su presencia. La clave para ella fue volver a vivir desde el no miedo. Desde ahí pudo poner orden y dirección en su vida, en su pareja, en su ritmo de comida y de sueño…, y eso es lo que ella necesitaba para dejar de «retener todo cuanto comía» y empezar a bajar peso.

¿Por qué guardar energía en nuestro cuerpo? ¡Ya tenemos neveras!

Bajo esta perspectiva holística, ¿qué está pasando en la sociedad actual? ¿Por qué nos estamos convirtiendo en una sociedad obesa y enferma?

En lo biológico, la raíz vuelve a encontrarse en el conflicto entre nuestro diseño genético y el uso que hoy día damos a nuestro cuerpo. La baja calidad en la alimentación, el sedentarismo, la mala calidad del sueño o el estrés crónico son piezas claves en esta pandemia.

El genetista James V. Neel desarrolló en el siglo pasado la hipótesis del «gen ahorrador». Un gen que durante millones de años nos ha permitido sobrevivir a los grandes períodos de hambruna que ha sufrido el ser humano, pero que en cambio, hoy en día, nos hace engordar. ¿A qué se debe este cambio?

Tal vez el problema es que seguimos viviendo en una dinámica de alimentación que quizá no dista demasiado de esos ciclos de hambruna-atracón de nuestros ancestros. Te lo explico mejor.

Si recuerdas, en los inicios de nuestra existencia, nuestra alimentación era vegetariana y la mayor parte de nuestra vida estábamos de árbol en árbol. Los cambios climáticos que sufrió la Tierra obligaron al hombre a bajar al suelo en busca de comida. En aquel entonces, empezamos a encontrarnos la carroña y se introdujo un nuevo nutriente crucial para nuestra evolución: la grasa del tuétano. Parece ser que esa grasa de tan elevada calidad fue mielinizando nuestro sistema nervioso, y pudo competir, con el tiempo, con los verdaderos cazadores que por aquella época eran los animales depredadores. Es entonces cuando el hombre empieza su verdadera etapa de cazador-recolector.

El genetista Neel explica cómo es en esta etapa cuando se produce la activación de los «genes ahorradores».

Estos genes activaban la mayoría de nuestros células, salvo órganos vitales como el cerebro, el músculo o la placenta si la mujer estaba embarazada, para que desarrollaran, por un lado, una resistencia a la insulina en períodos de hambruna –recuerda que la insulina es la hormona que regula la entrada de glucosa-energía en la célula– y, por otro lado, una resistencia a la leptina, que, si recordamos, era la hormona responsable de avisarnos de que ya estamos saciados con la comida.

En aquellos tiempos del Paleolítico, la resistencia a la insulina permitía redistribuir de forma óptima nuestra reserva de energía en períodos de hambruna y la resistencia a la leptina evitaba sentirnos saciados cuando se cazaba o pescaba un animal, contribuyendo así a que pudiésemos comer grandes cantidades de alimento con su posterior acumulación de toda esa energía en forma de grasa.

Así, aquellos que lograban acumular o ahorrar la energía tuvieron un mayor porcentaje de supervivencia y por ello sus genes han llegado hasta nuestros días.

Una posible hipótesis: ¿enfermamos por un mal uso de los genes ahorradores?

Si partimos de que esta hipótesis de los genes ahorradores es válida, podemos comprender cómo el mal uso de estos genes puede llevarnos hoy en día a caminar hacia una sociedad cada vez más obesa, debido a unos estilos de vida que poco tienen que ver con los de nuestros ancestros más antiguos o con nuestros propios bisabuelos.

En los últimos cien años los cuatro patrones de vida que más han cambiado son:

1. **La alimentación:** hemos pasado de una alimentación que se sustentaba en un 65 % en fruta y vegetales a un patrón donde el 65 % de la entrada de energía es a base de grasas saturadas, azúcares rápidos y harinas refinadas.

   ¿Y qué ocurre con el orden en las comidas? Poca gente desayuna, luego pica algo durante su tiempo de máxima actividad, y llega a la noche con un hambre voraz que la lleva a darse «atracones» nocturnos. ¿Qué hace el cuerpo con toda esa energía para irse a dormir? ¿La acumulará para poder sobrevivir a la hambruna a la que somete al cuerpo al no darle energía cuando lo precisa? ¿No se parece a la alimentación de nuestros ancestros del Paleolítico? ¿Por qué debemos acumular en nuestro cuerpo lo que la nevera puede guardar por nosotros? ¿Qué pasaría si ordenásemos nuestra entrada de energía con la cronodieta? ¿Perderíamos peso? Si nuestro cuerpo recibe la energía cuando la precisa, la gasta y no acumula. Por ello, te invito a dejar que la «energía» se acumule a partir de ahora en la nevera y le demos al cuerpo energía estable durante la actividad y nutrientes óptimos para que funcione en armonía.

2. **La cantidad y la calidad de sueño:** varios estudios han demostrado que desde la entrada de la luz artificial los índices de obesidad y sobrepeso han crecido de forma exponencial. Experimentos científicos han demostrado que el posible mecanismo tenga que ver con la capacidad de la melatonina en la activación del tejido graso pardo, la forma natural de acumular la energía en la masa muscu-

lar. Una buena higiene del sueño puede ayudarnos a bajar peso.

3. **El sedentarismo, la masa muscular y los tipos de grasas:** el cuerpo acumula el exceso de energía en forma de grasa. Habitualmente, una alimentación óptima y un nivel de actividad física alto ayudan a mantener un buen tono y masa muscular; el exceso de energía se acumula en el tejido graso pardo del músculo. Es una forma óptima de almacenar energía, ya que es una grasa que combustiona rápidamente. En cambio, si nuestra vida es sedentaria, nuestra masa muscular es pobre y nuestra alimentación es rica en grasas saturadas, harinas refinadas y azúcares, el exceso de energía tiende a acumularse en la grasa amarilla que tenemos debajo de la piel y dentro del abdomen. Este tipo de grasa es muy fría, puedes comprobarlo al tocar tus glúteos o tu abdomen; quema con dificultad por lo que no es la mejor manera de acumular el excedente energético.

La obesidad «en pera», que es aquella en la que la acumulación se forma bajo la piel de los glúteos y los muslos, tiene un riesgo cardiovascular menor que la obesidad «en manzana u obesidad abdominal», más peligrosa por su creciente riesgo cardiovascular, entre otras enfermedades, a medida que el perímetro abdominal es mayor.

Por otro lado, he de decir que el cuerpo precisa tener un porcentaje mínimo de grasa acumulada para que todo el sistema funcione.

Mantener una buena tonificación y una masa muscular óptima puede contribuir a que acumulemos aquella grasa necesaria en ciertas zonas del cuerpo que no nos hagan enfermar, como puede ser el músculo.

4. **La tendencia a la cronificación actual del estrés:** lo que es un mecanismo de supervivencia, al cronificarlo, se convierte en el origen de un estado de desgaste energético, inflamación crónica, oxidación celular y envejecimiento prematuro, aspectos que contribuyen al desarrollo de la obesidad abdominal o inflamatoria.

Cualquier acción que nos ayude a regular nuestro estrés en el día a día ejercerá una fuerte prevención en el desarrollo de la obesidad.

Resumiendo, este capítulo te acerca un poco más a una de las enfermedades más prevalentes de este siglo. Como ves, las herramientas preventivas van dirigidas a reenfocar los patrones de vida actuales y a usar las fuerzas generadoras de salud siendo coherentes entre lo que somos y cómo nos usamos.

Recupera los planes de acción que hemos diseñado para conquistar niveles de energía estables, una buena calidad del sueño, la actividad física eficiente y óptima y ¡recuerda la importancia de relajarse y de respirar de forma consciente para reducir el estrés!

A partir de este momento, está en tu mano el poner en marcha todas estas medidas que te adapten mejor a vivir en una nueva era sin mamuts, sin estar estresado y sin engordar.

15.
Y ahora, tómate tu tiempo

Si has llegado hasta aquí, el proceso de cambio ha empezado; la conciencia sobre ti mismo y sobre tu salud se ha despertado y ya solo es cuestión de tiempo que una nueva manera de vivirte se vaya consolidando.

Estamos en un punto en el que, como sociedad y como personas, precisamos un cambio, un cambio profundo e interno, ¡un despertar! Parece como si hubiésemos vivido durante generaciones inmersos en un profundo sueño y, desde hace un tiempo, la luz del sol empieza a despertarnos. Opino que necesitamos una reforma social integral en la política, en la educación, en las empresas y, por supuesto, en la salud. Y también creo que esos cambios solo pueden partir desde cada uno de nosotros.

Creo firmemente que podemos cambiar las cosas si nuestra intención y dirección empiezan dentro de cada uno, no intentando cambiar al que tenemos enfrente, sino ocupándonos de sacar la mejor versión de nosotros mismos. Para mí, cualquier otro enfoque es como las dietas restrictivas y su efecto yoyó: ¡una frustración para el que quiere adelgazar!

«¡Haz en ti el cambio que quieres en el mundo!». Dejemos atrás las quejas vacías, los corros de conversaciones implosivas y la proyección permanente de que «la culpa de mis problemas siempre la tienen los otros». Súbete al carruaje de tu vida, vuelve a ser el protagonista, ¡despierta! y vívela desde el amor, desde el no miedo, ¡permítete ser feliz!, porque la libertad interna es la verdadera esencia de la salud, la única definición verdadera de estar sano.

Está bien nutrirse de forma óptima, hacer deporte y dormir tus ocho horas, pero eso no es suficiente. Si quieres conquistar un estado de salud superior, has de ocuparte de aquel cuerpo que ves y de aquel que no ves.

Empieza este camino hacia la medicina de los hombres libres y hazlo desde lo más sencillo: conquistando tu esfera física, esa parte visible y tangible de ti que es el cuerpo humano, ese templo sagrado que alberga tu vida. Que no sea la sociedad la que te imponga tu manera de alimentarte o las horas que vas a dormir o lo que vas a hacer en tu tiempo libre.

Ahora ya sabes que tu cuerpo físico tiene dos dimensiones que debes cuidar. La dimensión espacial, que necesita nutrientes óptimos para construirse, un sueño profundo para repararse, movimiento para estar en forma y una relajación consciente para evitar tensiones innecesarias, y una dimensión temporal: el ritmo; ya sabes que «cada acción en el cuerpo es causa y consecuencia de otra». Mantén la musicalidad de ese ritmo interno y todo funcionará con armonía. Orden y ritmo son sinónimos de salud interna.

Es cierto que tendrás que romper algunos de tus esquemas mentales, ¡claro!, y que aparecerán las resistencias emocionales básicas de cualquier cambio en el ser humano: ¡la pereza y el miedo! Pues claro, pero no pasa nada, es natural que aparezcan; superarlas nos hace fuertes y nos empodera, así que «gracias al miedo y a la pereza por ayudarnos a ser mejores».

De momento, si te parece, vamos a dejarlo aquí. Prefiero ir despacio, poco a poco, para que este caminar hacia la salud sea un gozo para ti. Usa el conocimiento que hemos compartido sobre la biología y la psicología del ser humano y que ahora, al ser consciente, puedes convertirlo en acciones que creen una nueva versión de ti mismo, que te permitan vivir en plenitud y sin enfermar en esta nueva era sin mamuts. Promociona tu salud y haz prevención de forma activa de todas las esferas que te configuran; ya tienes unas cuantas herramientas y conocimientos sobre cómo hacerlo.

Tómate tu tiempo para leer y releer toda la información que aquí hemos compartido juntos, prueba y experimenta, descubre, equivócate, ve hacia delante y hacia atrás si es necesario. ¡No te estreses con los cambios, por favor! Si no, de nada habrá servido todo este tiempo juntos. Empieza por aquellos que te resuenan más por curiosidad o por necesidad, y sigue con uno detrás de otro.

Comienzas una nueva manera de caminar por el mundo, así que no tengas prisa, disfruta consciente, esta vez, de cada paso. Yo, te confieso, sigo con la sensación de mariposas en la tripa de aquel que inicia un camino que lo llevará a lugares desconocidos, pero ahora ya no tengo miedo de ocupar mi lugar en el mundo.

Caminemos juntos hacia la salud integral del ser humano para construir juntos un nuevo mundo en el que haya cabida a la nueva medicina de los hombres libres.

¡Buen camino hacia la salud!

16.
El futuro:
la medicina del bienestar

Sueño con un lugar precioso, verde, lleno de flores, árboles y rodeado de naturaleza salvaje. Un muro de piedra imponente rodea y delimita el lugar, atravieso el portal de madera y sobre mi cabeza veo una tabla tallada en la que se puede leer un nombre. Me adentro en ese espacio, algo me llama a seguir el camino de tierra entre árboles. Me llama la atención que en el centro de todo este paraje haya un árbol gigante, precioso y donde apetece sentarse y cobijarse de la vida. Una gran mesa circular de madera está bajo sus ramas; cada una de ellas guarda en su memoria todas las conversaciones, los silencios, los libros leídos y las palabras escritas de aquellos que debajo de su sombra hallaron cobijo, retiro y paz.

Veo extendidas por todo el campo pequeñas cabañas donde se alojan personas que van y que vienen buscando paz, porque necesitan un retiro, un refugio, porque necesitan encontrarse, meditar, sanar, reposar, reflexionar, resolver un conflicto consigo mismas, con sus parejas, con su cuerpo, con su alma o con la vida.

Y en este lugar primoroso me acerco a este árbol majestuoso que transpira sabiduría y puedo ver detrás de él una casa grande, mayor que las otras dos que hay cerca. En su puerta puedo leer un letrero, «Casa madre», y ante mis ojos abiertos de par en par por el asombro, personas que entran y salen para aprender y comprender su proceso de enfermar; otras quieren ser activas en ayudar a su cuerpo y a su alma en las fuerzas vitales generadoras de salud y vienen a aprender cómo hacerlo con sus médicos mentores; otras vienen para desnudar su alma y averiguar quiénes son. Me asombra la paz y la armonía que se respira en este lugar. Oigo a un hombre decir que es el centro pionero donde un grupo de médicos y de pediatras han apostado por un cambio en la manera de hacer medicina, una medicina de hombres libres.

A uno de los lados de la Casa madre, se puede ver una segunda casa, «La casa del bien nacer». Es curioso ver a parejas haciendo un trabajo interior profundo; quieren ser madres y padres conscientes frente al ser humano que traerán al mundo. Comentan que hallan en este lugar profesionales que acompañan sus embarazos y su puerperio de una manera humana, profesional, respetuosa y amorosa. Las mujeres dan a luz en unas habitaciones adaptadas en las que, por la calidez de su luz y su temperatura, nada las hace temer, y, empoderadas, dan a luz a sus hijos respetando el nacimiento particular de cada niño. Hay grupos de lactancia que se reúnen bajo uno de los árboles; hoy hace un día precioso. Oigo cómo refuerzan que toda mujer puede parir y nutrir a su pequeño.

Sigo caminando entre árboles porque me llama la atención una tercera casa al fondo, algo más apartada. Es una casa que respira la presencia plena de aquel que sabe que inicia su partida de nuevo hacia otro lugar, fuera de esta vida que conocemos. La llaman «La casa del bien morir». Un hombre me explica que acude allí de vez en cuando a escuchar conferencias que hablan de la vida y de la muerte; me cuenta que desde que va ha aprendido a vivir más presente. Lo veo feliz. Me sorprenden las habitaciones: son amplias, cálidas y personales. No hay dos iguales. Me sorprende que las parejas puedan dormir juntas, que tengan fotos de su familia y que sea un entorno tan acogedor. El amor y el profundo respeto a este momento tan trascendental del ser humano se pueden respirar en cada rincón.

El hombre me cuenta que él vive en la residencia de ancianos que hay un poco más allá. Comparten espacios comunes, y un grupo de profesionales cuida de ellos si lo necesitan, mientras que si pueden llevar una vida activa, colaboran en las labores de la huerta, en preparar la comida, reciben talleres de diferentes artes si lo desean, y ellos comparten en espacios de conversación o en clases prácticas su experiencia y su sabiduría con los más jóvenes. Todos salen ganando.

Como si pudiese volar, asciendo y veo una panorámica del lugar. Tres hogares donde se acogen los tres procesos vitales en la salud y en su enfermar. Puedo ver el nacimiento, la vida y la muerte.

Sueño con un lugar donde se cuide, se sane y se ayude al ser humano en todo el ciclo de su vida, desde su llegada hasta su partida, en los procesos de salud, crecimiento y enfermedad.

Grandes extensiones de huertas alimentan a las personas que allí se acercan, durante un tiempo largo o para unos instantes. Una cooperativa social sustenta los cultivos de agricultura biodinámica y los distribuye a la gente de la zona. El cuidado saludable de la tierra da frutos que aumentan la salud de los que los consumen, y el círculo se cierra.

Cuando este sueño sea pronto realizado, todo aquel que quiera, profesional o paciente, amigo o colaborador, sabio o aprendiz… todos tendrán cabida en él.

Bibliografía de apoyo

Tomando consciencia del cuerpo humano

BRIZENDINE, Louann, *El cerebro femenino*, Barcelona, RBA Libros, 2010.

BRIZENDINE, Louann, *El cerebro masculino*, Barcelona, RBA Libros, 2010.

CAMPILLO ÁLVAREZ, José Enrique, *El mono obeso*, Barcelona, Drakontos Bolsillo, 2013.

DETHLEFSEN, Thorwald, y Rüdiger Dahlke, *La enfermedad como camino*, Barcelona, DeBolsillo, 2009.

SAPOLSKY, Robert M., *¿Por qué las cebras no tienen úlcera?*, Madrid, Alianza, 2008.

SCHNAKE, Adriana, *La voz del síntoma*, Santiago de Chile, Cuatro Vientos, 2004.

Nutrición consciente, sueño, relax y ejercicio

HOLFORD, Patrick, *El libro de la nutrición óptima*, Barcelona, Robin Book, 2010.

PÉREZ, María, y Jordi Forés, *El médico en tu cocina*, Barcelona, Plataforma, 2013.

SEARS, Barry, *La inflamación silenciosa*, Barcelona, Urano, 2007.

VELAYOS, José Luis, *Medicina del sueño. Un enfoque multidisciplinario*, Madrid, Panamericana, 2009.

Gestión de la emoción y del pensamiento

SCHMOLLER, Alicia, *La sombra*, Buenos Aires, Argentina, Kier, 2007.

SIMÓN, Vicente, *Aprendiendo a practicar mindfulness*, Barcelona, Sello, 2011.

Su opinión es importante.
En futuras ediciones, estaremos encantados
de recoger sus comentarios sobre este libro.

Por favor, háganoslos llegar a través de nuestra web:

www.plataformaeditorial.com

Para adquirir nuestros títulos, consulte con su librero habitual.

«I cannot live without books.»
«No puedo vivir sin libros.»
THOMAS JEFFERSON

Plataforma Editorial planta un árbol
por cada título publicado.